# エネルギー・トランジション

## 2050年カーボンニュートラル実現への道

橘川武郎 著
Takeo KIKKAWA

東京 白桃書房 神田

# はじめに：カーボンニュートラルへのエネルギー・トランジション

本書の姉妹書である『エネルギー・シフト　再生可能エネルギー主力電源化への道』（橘川、2020）を白桃書房から出版したのは、2020年9月16日のことである。おかげさまで同書は多くの方々に読んでいただき、今日までに7刷を重ねることができた。

同書の第1刷を刊行した直後から、エネルギーをめぐる日本と世界の状況は、激しく変化し始めた。その変化に対応するため、同書を増刷するたびに、「おわりに」に補記を追加する措置を講じてきた。2021年4月16日の第2刷刊行時の「重版に際して」（執筆は2021年3月19日。以下同様）、2021年6月16日の第3刷刊行時の「第3刷に際して」（2021年5月16日）、2021年8月6日の第5刷刊行時の「第5刷に際して」（2021年7月24日）、2022年4月16日の第6刷刊行時の「第6刷に際して」（2022年3月14日）、2022年12月26日の第7刷刊行時の「第7刷に際して」（2022年12月5日）が、それである（なお、これらの補記を付した「おわりに」については、白桃書房のホームページで「エネルギー・シフト」を検索すれば、無料で閲覧することができる（https://www.hakutou.co.jp/book/b528854.html））。

しかし、状況の変化はあまりに激しく、もはや補記の追加だけでは対応できなくなった。また、変化が積み重なるなかで、エネルギー政策のめざすべき大きな目標も、「再生可能エネルギー主力電源化」から「カーボンニュートラル」へ深化するにいたった。地球温暖化への対応が喫緊の課題であるとの認識が、急速に世界中で広がったのである。このような事情をふまえて、筆者は、新たに本を書きおろす決断をした。その成果が、カーボンニュートラルへのリアルな道筋の解明をめざす本書である。

そもそも、カーボンニュートラルとは何であろうか。

日本だけでなく、世界中がカーボンニュートラルへ向けて雪崩を打っている。しかし、よくよく考えてみると、「カーボンニュートラル」とは変な言葉である。直訳すれば、「炭素中立」となる。何のことだか、よくわからない。今さらながらであるが、「カーボンニュートラル」っていったい何なのだろう。

カーボンニュートラルに近い言い回しに、「脱炭素社会」というのがある。これもまた、妙だ。文字どおり炭素がなくなってしまったら、人類は滅亡してしまう。炭素を含む炭水化物がなければ、人間は生きていけないからだ。

カーボンニュートラルの「カーボン」や脱炭素社会の「炭素」は、厳密に言えば「二酸化炭素」、つまりカーボンダイオキサイドのことだ。本来であれば「カーボンダイオキサイドニュートラル」とか、「脱二酸化炭素社会」とか言わなければならないわけであるが、それは面倒くさいので「カーボンニュートラル」、「脱炭素社会」のように省略する。わかりにくさの一因は、この点にある。

二酸化炭素（$CO_2$）が問題視されるのは、地球温暖化の原因である温室効果ガスの代表格だからである。$CO_2$の排出を抑制し気温上昇をおさえこまないと地球は危機的状況に陥り、人類に未来はないとみなされている。

そうであるとすれば、なぜ、$CO_2$の排出をなくすという意味を込めて、「カーボンゼロ」と言わないのか。それは、$CO_2$の排出をゼロにすることが、事実上不可能だからである。

どんなに努力しても避けることのできない、ある程度の$CO_2$の排出。その事実を直視するならば、排出と同規模の$CO_2$の回収・吸収を実現して、差し引きゼロにするしかない。排出量と回収・吸収量とを等しくすることによって、「実質ゼロ」を実現するわけである。

この「排出量＝回収・吸収量」を意味する言葉が、「ニュートラル」だ。「カーボンゼロ」とは言わず「カーボンニュートラル」と表現するのは、このような事情が存在するからである。

ややくどいと感じながらも、ここでは、「カーボンニュートラル」という言葉の意味を詳しく吟味した。そうまでしたのは、「カーボンニュートラル」が、人類にとって、現時点で最も重要なキーワードの一つだからである。

とは言え、カーボンニュートラルを達成することは難しい。達成するには、バックキャストという手法を用いて、まず目標とする未来像を描き、続いてその未来像を実現するための道筋を未来から現在にさかのぼって記述するシナリオを作成しなければならない。本書がめざすのは、このシナリオの作成である。目標とする未来像はカーボンニュートラルであり、すでに確定している。それを実現する道筋、シナリオの明確化こそが、問題なのである。

日本のエネルギー政策を、カーボンニュートラルを実現する道筋、シナリオに合致させなければならない。実現の期限は2050年であるから、移行（トランジション）のために残されている時間は、25年余に過ぎない。迅速かつ着実に、エネルギー・トランジションを遂行しなければならないのである。

『エネルギー・シフト　再生可能エネルギー主力電源化への道』の出版後、エネルギーをめぐって、大きな変化が次々と起こった。その主要なものだけを列記すると、

2020年10月26日：菅義偉首相（当時）が所信表明演説で「2050年までにカーボンニュートラルを実現

する」と宣言、
2021年4月22日：菅首相が、気候変動サミットで、2030年度に向けた温室効果ガス削減目標を、2013年度比で、従来の26％から46％へ引き上げることを表明、
2021年10月22日：岸田文雄政権が、第6次エネルギー基本計画を閣議決定、
2022年2月24日：ロシアがウクライナ侵略を開始。世界的にエネルギー危機が広がる、
2022年12月22日：岸田首相が、GX（グリーントランスフォーメーション）実行会議で、既設原子炉の運転期間延長を含むエネルギー政策を発表、
2023年2月10日：岸田政権が、GX実現に向けた基本方針を閣議決定、
2023年5月12日：「脱炭素成長型経済構造への円滑な移行の推進に関する法律」（GX推進法）が成立、
2023年5月31日：「脱炭素社会の実現に向けた電気供給体制の確立を図るための電気事業法等の一部を改正する法律」（GX脱炭素電源法）が成立、
となる。

このような状況変化をふまえて本書では、まず序章で、カーボンニュートラルとエネルギー危機との関係について掘り下げる。続いて第1章で、「カーボンニュートラル2050宣言」とそれを受けて策定された第6次エネルギー基本計画の内容を検討する。

カーボンニュートラルを達成するためには、電力分野での取組みだけでは、決定的に不十分である。熱利用等の非電力分野での取組みが、鍵を握るとさえ言える。そこで第2章では、電力分野・非電力分野・$CO_2$除去を包含する日本のカーボンニュートラルをめざす施策の全体像に光を当てる。

その後第3章〜第5章では、第6次エネルギー基本計画と「GX実現に向けた基本方針」の記述を手がかりにして、各エネルギーの今後のあり方を展望する。具体的には、第3章では再生可能エネルギー、第4章では原子力、第5章では火力発電用化石燃料を、それぞれ取り上げる。そこで浮かび上がるキー・テクノロジーに焦点を合わせる形で、第6章では水素・アンモニア・合成燃料の社会実装への道筋を探る。

第7章では、視点を変えて、需要サイドからのカーボンニュートラルへのアプローチに目を向ける。そこで注目するのは、省エネルギーと地域の役割である。そして、本書のまとめに当たる終章では、2050年へ向けてのエネルギー・トランジションのリアルな道筋を展望する。

以上が、本書の構成である。なお、本書の記述は、基本的には、2023年9月末時点での事実にもとづいている。

本書の出版に際しては、株式会社白桃書房の皆様、なかでも大矢栄一郎社長と平千枝子さん、金子歓子さんにたいへんお世話になりました。ここに特記して、心からの謝意を表します。

2023年10月6日

橘川　武郎

# 目次

# 序章　エネルギー危機でカーボンニュートラルは後退するか

## カーボンニュートラルとエネルギー危機との関係

ロシアのウクライナ侵略が拍車をかけた世界的なエネルギー危機によって、カーボンニュートラルをめざす動きが後退するという見方がある。石油、天然ガス、石炭などの化石燃料の価値が再認識されたから、脱炭素社会への流れが弱まるというのである。

しかし、このような見方は、根本的に誤っている。ウクライナ侵攻によるエネルギー危機の深刻化から導くべき最大の教訓は、エネルギー自給率を高めることである。エネルギー自給率を向上させるためには、国産エネルギーを活用しなければならない。国産エネルギーの代表格は、風力、太陽光・熱、水力、地熱などの再生可能エネルギーである。エネルギー危機を根本的に解決するためには、再生可能エネルギーの普及を急ぐ必要がある。エネルギー危機から導くべき教訓は、カーボンニュートラルへの動きを後退させることでは決してなく、むしろ、カーボンニュートラルへの動きを加速させることなのである。

## 2020年後半から始まっていた燃料価格の上昇

2022年2月に始まったロシアのウクライナ侵略は、それ以前から進行しつつあった世界的規模のエネルギー危機に拍車をかけた。

原油価格は、新型コロナ禍による規模縮小からの経済の回復による石油需要の拡大、脱炭素への流れの高まりによる石油上流部門への投資の低迷、産油国の増産への消極的な姿勢などの影響で、2020年なかばから上昇傾向をたどっていた。その様子は、図序-1から読みとることができる。

原油価格の高騰を反映して、天然ガス価格（図序-2）や石炭価格も、2020年の後半ないし2021年から上昇するようになった。



図序-1　国際原油価格の動向（2007～22年）

（出所）資源エネルギー庁資源・燃料部「資源・燃料政策の現状と今後の方向性」（2022年7月）にもとづき、筆者作成。

## ロシアのウクライナ侵略が拍車をかけたエネルギー危機

すでに上昇傾向をたどっていた原油価格は、ロシアのウクライナ侵略によって、文字通り「急騰」の様相を呈するにいたった。２０２２年３月７日にはロンドン市場で北海ブレント原油先物が１バレル１３９・１３ドルにまで上昇し、史上最高値をつけたリーマンショック直前（２００８年７月）の１バレル１４７・５０ドルに迫る水準に達した（図序-1参照）。

原油だけでなく、天然ガスや石炭の価格も高騰した。日本を含むアジアのＬＮＧ（液化天然ガス）スポット価格を示すＪＫＭ（Japan Korea Marker）は、２０２２年３月７日に百万ＢＴＵ（英国熱量単位）当たり８４・７６ドルの過去最高値を記録した（図序-2）。また、２０２１年10月にそれぞれトン当たり２５４ドル・３９５ドルであったオーストラリア産の一般炭（発電用等）・原料炭（製鉄用等）の価格も、２０２２年３月



図序-2　国際天然ガス価格の動向（2016～23年）

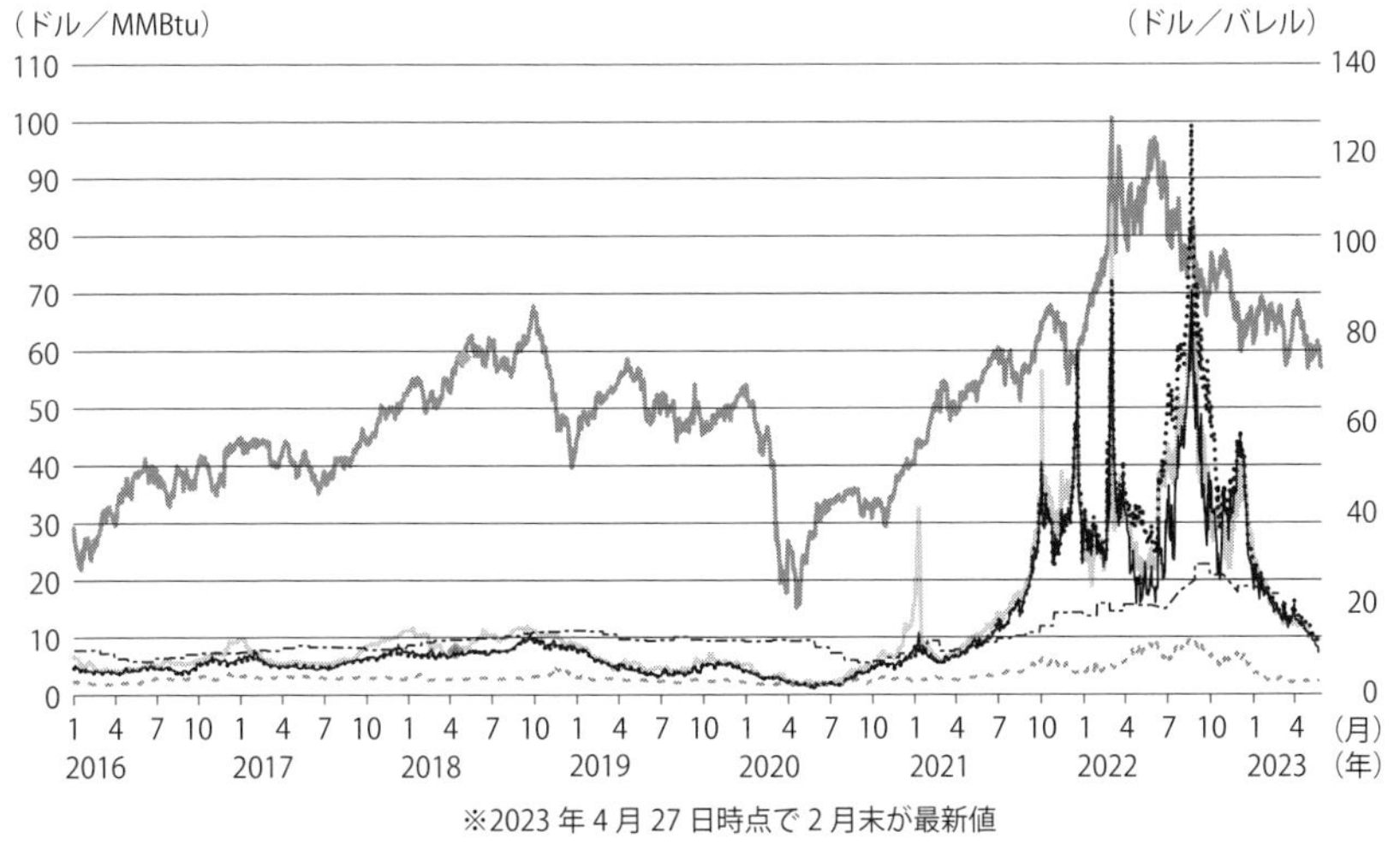


※2023年4月27日時点で2月末が最新値

JKM（アジアのLNGスポット価格）　JLC（日本の輸入価格）　NBP（英国の天然ガス価格指標）
HH（米国の天然ガス価格指標）　TTF（オランダの天然ガス価格指標）　ブレント原油（右軸）

（原資料）S&P Global Platts 他
（出所）資源エネルギー庁「今後のエネルギー政策について」（2023年6月28日）にもとづき、筆者作成。

中旬には375ドル・635ドルまで上昇したのである。

　エネルギー危機が世界に広がったのは、ロシアが石油・天然ガス・石炭の主要な輸出国の一つだからである。その影響は多くの国々に及んでいるが、危機の度合いは国ごとに異なる。表序-1は、G7諸国の2020年における（日本は2021年における）一次エネルギー自給率とロシアへの依存度をまとめたものであるが、この表から次のようなことがわかる。

　アメリカとカナダは、ロシア依存度がほぼゼロである。それは、これら両国が、一次エネルギーの自給率が100%を超える「エネルギー輸出国」であることによる。

　これとは対照的に、ヨーロッパ諸国の場合には、ロシアへの依存度がきわめて高い。最も高いドイツは、ロシア依存度が石油で34%、天然ガスで43%、石炭で48%に達する。イタリアも同様で、石油の11%、天然ガスの31%、石炭の56%をロシアからの輸入に頼っている。フランスは、ロシアから石油を輸入していないが、天然ガスの27%、石炭の29%はロシアからの輸入である。イギリスも、石油・天然ガスのロシア依存度はそれほど高くないが、石炭のそれは36%に及ぶ。ウクライナ危機が加速させたエネルギー危機は、ヨーロッパ経済を直撃して



表序-1　G7諸国のロシアへのエネルギー依存度と一次エネルギーの自給率

（単位：%）

| 国 | 一次エネルギー自給率 | ロシアへのエネルギー依存度 | | |
|---|---|---|---|---|
| | | 石　油 | 天然ガス | 石　炭 |
| 日　本 | 11 | 4 | 9 | 11 |
| アメリカ | 106 | 1 | 0 | 0 |
| カナダ | 179 | 0 | 0 | 0 |
| イギリス | 75 | 11 | 5 | 36 |
| フランス | 55 | 0 | 27 | 29 |
| ドイツ | 35 | 34 | 43 | 48 |
| イタリア | 25 | 11 | 31 | 56 |

（出所）資源エネルギー庁資源・燃料部「ウクライナ侵略等を踏まえた資源・燃料政策の今後の方向性」（2022年4月）。
（注）日本については2021年、他国については2020年の数値。

いる。

日本についてみれば、2021年のロシア依存度は、石油で4％、天然ガスで9％、石炭で11％であった。アメリカ・カナダよりは高く、ヨーロッパ諸国よりは低い水準であるが、ウクライナ危機の影響が小さいとは言えない。なぜなら、一次エネルギー自給率が11％と極端に低いため、現在のように、ヨーロッパ諸国がロシア以外の国・地域から石油・天然ガス・石炭を調達しようとする動きを強めると、それらをめぐる争奪戦が激化し、必要調達量の確保難、調達コストの上昇の両面で、輸入に頼る日本経済は打撃を受けるからである。

## 石炭と石油の脱ロシア化

燃料のロシア依存度が高いヨーロッパ諸国であるが、それでもEU（欧州連合）は、2022年4月にロシアからの石炭輸入を同年8月以降禁止することを決めた。日本政府も、この動きに協調して、ロシア炭の輸入を段階的に削減し、最終的にはゼロにする方針を打ち出した。石炭の脱ロシア化が進行しているのは、石炭が世界各地で産出され、ロシア以外の代替輸入先を確保することが比較的容易だからである。

石炭に比べて、石油の脱ロシア化は、それほどスムーズには進展していない。ロシアに代わる原油の供給源として最有力であるはずのOPEC（石油輸出国機構）諸国が、ウクライナ危機後も原油の増産に消極的な姿勢を崩していないからである。OPECは、西側諸国が求めた原油の追加増産に応じず、今後も減産を続ける予定である。この姿勢は、生産量が拡大するアメリカ産原油に対抗して、原油価格の決定力を確保するためにはロシアの協力を必要とするOPEC諸国の事情を反映したものである。

## 危機の実相は「天然ガス危機」

主要な燃料のなかで脱ロシア化が最も困難なのは、天然ガスである。パイプラインを使って陸路でロシアから天然ガスの供給を受けてきたヨーロッパ諸国は、今後は多くの場合、新しい供給先から海路を通じてLNG（液化天然ガス）を輸入することになる。つまり、高いコストと一定の時間をかけて、LNGの輸入基地を建設しなければならないわけである。

幸い島国である日本は、もともとLNGを大量に輸入してきたので、多くの輸入基地を有している。しかし、わが国の天然ガスの脱ロシア化には、別の難問が存在する。それは、ロシアからのLNG輸入が止まることになった場合、調達コストが一挙に跳ね上がるという問題である。

2020年後半からの燃料価格の上昇によりヨーロッパでは、その後の2年間にガス料金や電気料金が数倍になった国もあった。それに比べれば、日本のガス・電気料金の値上げ率はずっと緩やかだった。この違いが生じた理由は、重要な電源であり熱源である天然ガスの調達に関して、日本はヨーロッパに比べて長期契約の比率が高く、スポット契約の比率が低い点に求めることができる。

図序-2の日本にかかわるJKMやヨーロッパにかかわるNBP（National Balancing Point）の動きからわかるように、一回の売買ごとに取引条件を決めるスポット契約による取引価格は、市場の需給関係の動きを反映して、激しく変動する。これに対して、長期契約による取引価格は、長い目では需給動向を反映するものの、変動の度合いがはるかに緩やかである。ロシアのウクライナ侵略後の時期のように需給が逼迫している状況下では、スポット契約価格は急騰し、長期契約価格は徐々に上昇する。その結果、最近では、長期契約分とスポット契約分の加重平均である日本のＬＮＧの平均輸入価格（ＪＬＣ：Japan LNG Cocktail）は、スポット価格よりかなり低水準で推移し続けている。ＬＮＧ調達におけるスポット契約の比率の差（２０２１年のＥＵ全体におけるスポット・短期ＬＮＧ比率は約39％、日本のそれは21％）[1]が、ガス・電気料金の上昇率の差につながっていると言える。[2]

日本にとって、ロシアからのＬＮＧ輸入の停止は、調達先の変更にとどまらず、調達契約の変更、つまり長期契約からスポット契約への変更をともなう。このことは、わが国の天然ガス調達コストを大幅に上昇させる。したがって、それを回避するために、日本企業が参加するサハリン２からのＬＮＧ輸入を継続することは、重要な意味をもつのである。

ロシアのウクライナ侵略がもたらしたエネルギー危機は、すぐれて「天然ガス危機」の様相を呈している。このような状況のもとで、日本はどのようなエネルギー戦略をとるべきだろうか。

## 危機の根本的な解決策はエネルギー自給率の向上

日本の場合、エネルギー危機の根本的な原因はエネルギー自給率の低さにあるわけだから、本質的な解決策は国産エネルギーを積極的に活用することに求めることになる。国産エネルギーの代表格は、風力、太陽光・熱、水力、地熱などの再生可能エネルギーである。

既述のように、ロシアのウクライナ侵略がもたらしたエネルギー危機を受けて化石燃料の重要性が再認識された

1　資源エネルギー庁「エネルギーの安定供給の再構築」（資源エネルギー庁、２０２２b）、23頁。
2　さらに、ヨーロッパ諸国の場合には、長期契約分のＬＮＧについてもスポット契約の価格で決済するという商慣習が支配的であることも、大きく影響している。

から脱炭素の流れに歯止めがかかるという見方があるが、根本的に間違っている。エネルギー危機を真の意味で解決するには、国産の再生可能エネルギーが主力となる脱炭素社会をなるべく早く実現しなければならないのである。

ただし、再生可能エネルギーを主力化するためには、リードタイムが8年かかる洋上風力のケースを考えればわかるように、発電設備や関連する送電設備等を新設しなければならず、ある程度の時間を必要とする。そのため、それまでの過渡期には、つまり短・中期的には、既存の設備を活用できる他のエネルギー源も使うことになる。

## 原子力・石炭火力への依存とその限界

ロシアからの天然ガス供給に大きく依存するドイツでは、なんとあの緑の党に属するロベルト・ハーベック経済・気候保護大臣が、2022年の原子力発電停止、2030年の石炭火力停止をそれぞれ先延ばしすることを検討すると表明する事態となった。結局、原発停止時期は4カ月延期されることになり、石炭火力の停止延期も可能性を残している。ドイツとともに、グリーン投資の対象を選定する欧州タクソノミーに原子力を含めることに反対してきたベルギーも、2025年に予定していた原子力発電の全廃を10年間延長することを決めた。日本でも、「原子力回帰」ともとれる動きが強まっている（この点については、本書の第4章で詳しく検討する）。

ただし、ここで看過してはならない点は、原子力が短・中期的には重要な選択肢の一つとなるものの、長期的にはその存続の是非について改めて真剣に議論すべき時が来たということである。ロシアはウクライナの原子力施設に関して、その周辺の送電設備を含めて、軍事的な攻撃対象とした。これまで日本では地震・津波・火山活動が、欧米ではテロによる大型民間航空機の突入が、それぞれ原子力発電の主要なリスクとみなされてきたのが実情である。これに対して今回、軍事標的になるというまったく新しいタイプのリスクが顕在化したのであり、この新しい知見にもとづき、原子力発電の持続可能性それ自体について根本的に問い直す必要性が生じたわけである。

このように考えると、日本にとって原子力が重要な選択肢の一つとなるのは、あくまで短・中期の過渡期に限定されることがわかる。エネルギー危機の根本的、長期的な解決策はあくまで再生可能エネルギーの拡大、主力化にあることを忘れてはならない。

石炭についても、原子力と同様のことが言える。

ロシアのウクライナ侵略が加速させた「天然ガス危機」は、短・中期的には代替財としての石炭の価値を高める。しかも日本では、本書の第5章で後述するように、2022年から2024年にかけて、比較的二酸化炭素（$CO_2$）の排出量が少ない高効率の超々臨界圧（USC：Ultra Super Critical）石炭火力の新規稼働があいつぐ。これらの発電所は、わが国のエネルギーの安定供給とコスト抑制に貢献することだろう。

しかし、いくら高効率のUSCであっても、$CO_2$を大量に排出することには変わりはない。つまり、石炭火力がある程度「復活」し、それへの依存期間が延びるということは、最終的に石炭火力をたたむ道筋を示すロードマップを明示する必要性がいっそう高まったことも意味するのである。問題があるAという手段をやむをえない事情で使う場合は、必ず、Aから脱却する道筋をもまた、併せて提示しなければならないからである。

日本が考える長期的な石炭火力からの脱却策は、アンモニア火力への転換である。「天然ガス危機」が続く状況下では短・中期的に石炭火力への依存を高めるのはやむをえないが、長期的にはロードマップを示し、いつまでにどの程度石炭にアンモニアを混焼し、最終的には何年にアンモニア専焼火力に切り替えるか、つまり石炭火力を廃止するかということをはっきりさせなければならないのである。

## 天然ガスをめぐる日本の戦略

天然ガスの場合には、原子力や石炭よりさらに事情が複雑である。先述したように、ロシアからの天然ガス輸入が停止した場合には、調達契約が長期契約からスポット契約へ変更され、日本の天然ガスの調達コストが、一挙に跳ね上がるおそれがあるからである。

「天然ガス危機」から脱却するために日本企業は、短・中期的には、ロシア以外の地域でガス田開発を進める必要がある。一方で、脱炭素へ向けた流れが強まるなかで、一般論としては、化石燃料の上流分野に追加投資を行うことは躊躇される。どうすればよいのだろうか。

ここで想起すべきは、化石上流の開発投資であっても、やり方によってはカーボンニュートラルに資するケースが存在する点である。それは、ＣＣＳ（二酸化炭素回収・貯留）につながるタイプの開発投資である。

脱炭素社会の実現に必要不可欠なカーボンフリー水素・アンモニア・合成メタンについて見れば、再生可能エネルギーから得られた電力を使って水を電気分解して生成した水素を用いる「グリーン水素・アンモニア・合成メタン」だけでは、量的に不足することは明らかである。生成時に$CO_2$を排出するものの、それを回収して貯留するＣＣＳを付した「ブルー水素・アンモニア・合成メタン」も、併用せざるをえない。そのＣＣＳの貯留場所に最も適する場所は、開発済みの油田・ガス田である。つまり、化石上流の開発投資にあたって、将来におけるＣＣＳへの展開という長期的な視野をもって対応すれば、脱炭素社会の実現に資することも可能なのである。

ここまで見てきたように、エネルギー危機に対して日本は、長期の戦略と短・中期の戦略とを使い分ける、「二枚腰」の姿勢で臨まなければならない。長期的には、カーボンニュートラルを促進しなければならない。短・中期的には、原子力や化石燃料を適切に使いこなす必要がある。柔軟で大局観をもった真の対応能力を発揮し、的確なトランジション戦略を遂行することが、強く求められている。

第1章

# 「カーボンニュートラル2050宣言」とその後

## 第6次エネルギー基本計画の問題点

### 「カーボンニュートラル2050宣言」から第6次エネルギー基本計画へ

日本でエネルギーをめぐる風景が変わり、カーボンニュートラルへ向けた動きが活発化するきっかけとなったのは、2020年10月26日に菅義偉首相（当時）が、就任直後の所信表明演説で、2050年までにカーボンニュートラルを実現し、国内の温室効果ガスの排出量を「実質ゼロ」にする方針を打ち出したことである。この「カーボンニュートラル2050宣言」を行うまで日本政府は、2050年までに温室効果ガス排出量を80％削減する目標を掲げていた。そこには、「80％の壁」が存在したのである。

人類がめざすカーボンニュートラルの達成のためには、太陽光や風力を中心とする再生可能エネルギーが主役となることは、間違いない。ただし、太陽光発電や風力発電は「お天道様任せ」、「風任せ」の変動電源であり、なんらかのバックアップの仕組みが必要となる。バックアップ役にまず期待されるのは蓄電池であるが、蓄電池はまだコストが高いし、原料調達面で中国に大きく依存するという問題点もある。したがってバックアップ役として蓄電池だけでは十分とは言えず、火力発電に頼ることになる。しかし、二酸化炭素（$CO_2$）を排出する従来型の火力発電では、カーボンニュートラルに逆行してしまう。その結果、100％のカーボンニュートラルは実現できず、80％止まりとなる。これが、「80％の壁」の正体であった。

ところが、そこにゲームチェンジャーが登場した。東京電力と中部電力との折半出資会社であり、日本最大の火力発電会社であるJERAである。

わが国で最も$CO_2$を排出する会社でもあるJERAは、菅首相の所信表明演説の直前の2020年10月13日、火力発電事業を継続しながらも、2050年までに$CO_2$排出量実質ゼロ化をめざす方針を明らかにした（JERA、2020）。まずは石炭火力発電所においてアンモニアを、LNG（液化天然ガス）火力発電所において水素を、それぞれ混焼することから始め、徐々に混焼率を高めて、やがてアンモニア専焼ないし水素専焼に移行しようというのである。JERAは、アンモニアないし水素への燃料転換によって、「カーボンフリー火力」、別言すれば「ゼロエミッション火力」を実現する方針を、明確に打ち出したのである。

このJERAの新方針は、「80％の壁」を突き破るインパクトを有していた。変動電源のバックアップ用に使われる火力発電が「カーボンフリー化」、「ゼロエミッション化」すれば、少なくとも理論上は、100％のカーボンニュートラルが達成可能になるからである。つまり、JERAが「カーボンフリー火力」を打ち出したことにより、菅首相の「カーボンニュートラル2050宣言」が、一定のリアリティをもつようになったのである。

菅首相は、「カーボンニュートラル2050宣言」を行ってから半年後の2021年4月22日に、アメリカのジョセフ・R・バイデンJr．大統領が主催した気候変動サミットで、2030年度に向けた温室効果ガスの削減目標について、2013年度に比べ46％削減することを表明した。

この46％削減という新目標は、従来の目標を大幅に上方修正したものであった。日本政府は、パリ協定を採択した2015年のCOP21（The 21st Conference of the Parties to the United Nations Framework Convention on Climate Change：国連気候変動枠組条約第21回締約国会議）で、「2030年度における国内の温室効果ガス排出量を2013年度の水準から26％削減する」という国際公約を行い、それを、2021年4月の気候変動サミット直前まで繰り返し公言していた。

この26％削減目標は、COP21以前の2015年に策定し、2018年の第5次エネルギー基本計画（閣議決定、2018）で追認した当時の電源構成見通し・一次エネルギー構成見通しと整合していた。したがって、大幅上方修正された46％削減目標が新たに設定されたため、電源構成・一次エネルギー見通しを作り直さなければならなくなったわけであるが、その作業は難航した。

難航した直接の原因は、①まず電源構成・一次エネルギー構成見通しを決定し、②それをふまえて温室効果ガスの削減目標を国際的に宣言する、というこれまでの手順が覆されたことにある。①→②ではなく、②→①となった。2021年の場合には、バイデン政権の圧力という政治的要因が強く作用して、まず、46％という削減目標が決まった。それを受けて、新目標と帳尻が合うように電源構成・一次エネルギー構成見通しを「調整」しなければならなくなった。このため、日本の政策当局は混乱に陥ったのである。

ようやく2021年7月21日になって主管官庁である経済産業省は、次期（第6次）エネルギー基本計画の策定作業を進めてきた総合資源エネルギー調査会基本政策分科会（以下、適宜、「基本政策分科会」と表記）の場で、46％削減目標と平仄が合うように調整した2030年度の電源構成見通しの素案を提示した（資源エネルギー庁、2021c）。その素案の概要は、以下のとおりであった。

（1）2030年度の発電電力量見通しは約9300〜9400億kWh［従来の第5次エネルギー基本計画では1兆650億kWh］。

（2）2030年度の電源構成見通しは、再生可能エネルギー（再生エネ）36〜38％、原子力20〜22％、水素・アンモニア1％、LNG（液化天然ガス）20％、石炭19％、石油等2％。つまり、ゼロエミッション電源59％、火力41％。再生エネの内訳は、太陽光15％、風力6％、地熱1％、水力10％、バイオマス5％［従来の第5次エネルギー基本計画では再生エネ22〜24％、原子力20〜22％、LNG27％、石炭26％、石油等3％。つまり、ゼロエミッション電源44％、火力56％。再生エネの内訳は、太陽光7・0％、風力1・7％、地熱1・0〜1・1％、水力8・8〜9・2％、バイオマス3・7〜4・6％］。

（3）2030年度の一次エネルギー供給量見通し（石油換算）は約4億3000万kl［従来の第5次エネルギー基本計画では4億8900万kl］。

（4）2030年度の一次エネルギー供給構成見通しは、再生エネ20％、原子力10％、天然ガス20％、石炭20％、石油30％。つまり、非化石エネルギー源30％、化石燃料70％［従来の第5次エネルギー基本計画では再生エネ13〜14％、原子力10〜11％、天然ガス18％、石炭25％、石油33％。つまり、非化石エネルギー源24％、化石燃料76％］。

基本政策分科会は、2021年8月4日の会合において、賛成多数でこの素案を承認した。結局、この素案は大きく変更されることなく、新発足した岸田文雄内閣によって2021年10月22日に閣議決定された第6次エネルギー基本計画（閣議決定、2021）に盛り込まれた。表1-1は、第6次エネルギー基本計画が示した2030年度における電源構成見通しと、その問題点をまとめたものである。

## 五つの問題点

第6次エネルギー基本計画の素案を策定した総合資源エネルギー調査会基本政策分科会の2021年8月4日の会合で、通常の審議会のケースのような「全会一致」が成立せず多数決が採用されたのは、委員の一人である筆者（橘川）が反対したからである。反対した理由は、素案に盛り込まれた2030年度の電源構成見通しがもつ、以下の五つの問題点に求めることができる。

(1) 36～38%という再生可能エネルギー比率の達成が困難であること。
(2) 20～22%という原子力比率の達成が困難であること。
(3) 石炭火力が過小評価されていること。
(4) LNG火力が過小評価されており、2030年度におけるLNGの輸入量が大幅に削減される内容となっていること。
(5) 電化の進展により2050年度へ向けて電力需要が30～50%増加するという長期的展望に立っているにもかかわらず、2030年度へ向け



表1-1　第6次エネルギー基本計画に盛り込まれた2030年度の電源構成見通しとその問題点

| 電　源 | | 改定前（第5次エネルギー基本計画） | 改定後（第6次エネルギー基本計画） | 問題点 |
|---|---|---|---|---|
| ゼロエミッション電源 | 再生可能エネルギー | 22～24% | 36～38% | 達成は困難 |
| | 原子力 | 20～22% | 20～22% | 達成は困難 |
| | 水素・アンモニア | ―― | 1% | |
| | （小　計） | （44%） | （59%） | （達成は困難） |
| 火力発電 | ＬＮＧ | 27% | 20% | 安定供給・温暖化対策に支障 |
| | 石　炭 | 26% | 19% | 安定供給・コスト抑制に支障 |
| | 石　油 | 3% | 2% | |
| | （小計） | （56%） | （41%） | （超過達成し国費流出へ） |
| 合　計 | | 100% | 100% | ―― |

（出所）閣議決定「エネルギー基本計画」（2021年10月）をもとに筆者作成。

ては電力需要が10％以上減少するという矛盾した見方をとっていること。

これらの問題点は、２０２１年10月に閣議決定された第６次エネルギー基本計画に、そのままの形で持ち込まれるにいたった。

## 実現性に疑問符がつく再生可能エネルギー比率

第６次エネルギー基本計画に盛り込まれた２０３０年度の電源構成見通しの第１の問題点は、36～38％と高く設定された再生可能エネルギー比率の実現性に疑問符がつくことである。

じつは、基本政策分科会は、２０２１年４月13日の会合で、きちんとした根拠を積み上げたうえで、２０３０年度の電源構成における再生可能エネルギーの比率を従来の22～24％から30％前後に引き上げる方向性を固めていた（資源エネルギー庁、２０２１ａ）。ところが、その９日後の４月22日に46％という新しい削減目標が設定され、それとのつじつまを合わせるためには、２０３０年度の再生可能エネルギー電源比率は30％ではとても足りず、30％台後半にまで高める必要があることが判明するにいたった。つまり、十分な根拠がないまま、再生可能エネルギー電源比率をさらに６～８％積み増さざるをえなくなったわけである。これでは、「調整」後の電源構成見通しの実現可能性に対して、重大な疑念が生じるのは当然であろう。

## 実現が不可能な原子力比率

再生可能エネルギーの比率を大幅に上昇させるためには、他の電源・エネルギー源の比率を相当程度低下させなければならない。

他の電源のうち原子力について見れば、第6次エネルギー基本計画は、それまでの電源構成見通しが掲げる「2030年度原子力比率20～22％」という水準をそのまま維持することを決めた。2021年7月13日の基本政策分科会で経済産業省は、当時稼働中であった炉10基だけでなく、原子力規制委員会の許可を得たものの稼働にいたっていなかった炉7基、および原子力規制委員会で審議中であった炉10基のすべてを合わせた27基が80％の設備利用率で稼働すれば、「2030年度原子力比率20～22％」は実現可能であるとの見解を示した（資源エネルギー庁、2021b）。しかし、現実を直視すれば、2030年に稼働している原子炉は甘く見ても20数基にとどまるだろうし、設備利用率も70％がせいぜいであろう。そもそも、原子力規制委員会で審査中であるすべての炉の稼働を織り込むことは、同委員会の独立性を侵害するものだという批判も生まれよう。

実際には、「2030年度原子力比率20～22％」が実現する見通しは、まったく立っていない。つまり、本来であれば、まずは原子力の比率を下げるべきなのである。ところが、政府は、原子力施設立地自治体への配慮などの政治的思惑もあって、第6次エネルギー基本計画に盛り込んだ2030年度の電源構成見通しにおいても、原子力の比率を引き下げることはせず、現行の水準のままで据え置いた。この非現実的な原子力比率を政治的理由でそのまま維持している点が、第6次エネルギー基本計画の素案に盛り込まれた電源構成見通しの第2の問題点である。

## 過度な石炭低減への懸念

原子力比率が維持されたため、電源構成見通しにおける比率低下の対象は、火力発電に絞り込まれることになった。第6次エネルギー基本計画素案の電源構成見通しの第3の問題点は、石炭火力の比率が過度に削減されたため、エネルギー政策上の懸念が生じるにいたったことにある。

火力発電にかかわるエネルギー源のうち石炭については、もともとある程度の比率低下が見込まれていた。２０２０年7月に経済産業省が、非効率石炭火力をフェードアウトさせる方針を打ち出していたからである（資源エネルギー庁、２０２０ａ）。

表1-2は、石炭火力を分類したものである。この表から、日本の石炭火力は、発電効率の違いによって、非効率石炭火力と高効率石炭火力とに大きく二分されることがわかる。

２０２０年7月時点での経済産業省の説明によれば、政府方針どおり非効率石炭火力を廃止し、高効率石炭火力に絞り込んだ場合、２０３０年度の電源構成に占める石炭火力の比率は、約20％になる。しかし、第6次エネルギー基本計画に盛り込まれた電源構成見通しでは、温室効果ガス46％削減目標とのつじつま合わせの結果、２０３０年度の石炭火力の比率は19％となり、20％を割り込んでしまった。また、２０３０年度の一次エネルギー構成見通しにおける石炭の比率も、従来の25％から6ポイント引き下げられて19％とされた。石炭の比率低下の幅が、適正な範囲を超えてしまったのである。石炭火力を過度に縮小すると、エネルギー安定供給や電力コスト削減に関して支障が生じることになる。

２０１１年の東京電力・福島第一原子力発電所事故にともなう原発全基

表1-2　石炭火力の種類と発電効率

| 効率性 | 発電方式 | 概　要 | 発電効率 | 蒸気圧力／温度 |
|---|---|---|---|---|
| 非効率 | 亜臨界圧（SUB-C） | 蒸気タービン発電。旧式。 | 38%以下 | 221bar 以下 |
| | 超臨界圧（SC） | 蒸気タービン発電。途上国で主流。 | 38～40%程度 | 221bar 超 |
| 高効率 | 超々臨界圧（USC） | 蒸気タービン発電。日本の新設で主流。蒸気の高温・高圧化で効率向上。 | 41～43%程度 | 221bar 超／593℃以上 |
| | 石炭ガス化複合発電（IGCC） | 石炭をガス化させ燃焼し発電する技術。ガスタービン発電＋蒸気タービン発電。 | 46～50%程度 | ガス温度1300℃以上 |
| | 石炭ガス化燃料電池複合発電（IGFC） | IGCCに加え燃料電池を組み合わせたトリプル複合発電方式。 | 55%程度 | ガス温度1300℃以上 |

（出所）経済産業省資源エネルギー庁「非効率石炭火力をどうする？　フェードアウトへ向けた取り組み」（2020年11月6日）。
（注）1bar ≒ 1気圧。

停止とその後の長期運転停止を受けて、大手9電力会社のうち8社は、電気料金の値上げを余儀なくされた。そのうち九州電力と関西電力は、その後原発を再稼働させて、料金を値下げした。一方、石炭火力の割合が高い中国電力は、福島事故後2022年度末まで電気料金を値上げしなかった。同社の島根原子力発電所は長期停止したままで、再稼働をはたしていないにもかかわらず、料金を維持したのである。このことは、石炭火力が経済性に優れた電源であることを、端的な形で示している。過度に石炭火力比率を引き下げれば「電力コスト削減に関して支障が生じる」と述べた理由は、ここにある。

## 調達に悪影響を及ぼす天然ガスの縮小

第6次エネルギー基本計画素案の電源構成見通しの第4の問題点は、火力発電の比率低下の影響が、石炭にとどまらず天然ガスにも及んだことである。2018年策定の第5次エネルギー基本計画は、字面のうえでは「天然ガスシフト」をうたっていたものの、実際には、2030年度の天然ガス需要を策定時の2018年に比べて20%超減少すると低めに見積もっており、「天然ガスシフト」に水を差す内容となっていた。

第6次エネルギー基本計画では、温室効果ガスの46%削減目標との帳尻合わせのために、2030年度の電源構成見通しにおけるLNG（液化天然ガス）火力の比率は、さらに引き下げられることになった。具体的には、第5次エネルギー基本計画に比べて、7ポイントも引き下げられて、20%とされた。一方、石炭の場合とは異なり、2030年度の一次エネルギー構成における天然ガスの比率は、18%のまま維持された。天然ガスの使用は、発電分野では縮小するが、非電力分野では拡大するという見方である。この見方自体は、2030年までの時期には、同一熱量当たりの二酸化炭素排出量の違いにより、石油・石炭から天然ガスへの燃料転換が温室効果ガスの削減に効果をあげる点を考慮に入れれば、正しいものだと言える。

ただし、ここで見落としてはならない事実が一つある。それは、第6次エネルギー基本計画では一次エネルギー供給量見通し全体が大幅に下方修正されたため、比率維持があったとしても、2030年度における年間天然ガス需要見通しは、第5次エネルギー基本計画が想定した規模からさらに800万トンほど少ない5500万トン弱にとどまることになるという事実である。

これでは、LNGの調達に否定的な影響が生じることは避けられない。世界的にLNGの争奪戦が激化するなかで、ライバル国は産ガス国に日本の第6次エネルギー基本計画の内容を示し、LNG調達面で日本に対する競争優位を確保するよう動いている。[3] つまり、第6次エネルギー基本計画は、日本の天然ガスの未来をさらに暗くするおそれが大きいのである。この点こそ、第6次エネルギー基本計画の最大の問題点だと言えるかもしれない。

LNGの調達に否定的な影響が生じるとすれば、それは、エネルギーの安定供給に支障をきたすだけではない。肝心の温室効果ガスの削減にも、悪影響を及ぼす。すでに述べたように、「2030年までの時期には、同一熱量当たりの二酸化炭素排出量の違いにより、石油・石炭から天然ガスへの燃料転換が温室効果ガスの削減に効果をあげる」と見込まれるにもかかわらず、天然ガスの調達量を大幅に減らす計画だからである。

## 「分母減らし」と「産業縮小シナリオ」の導入

第6次エネルギー基本計画に盛り込まれた2030年度の電源構成見通しの第5の問題点は、帳尻合わせをした

3　2022年2月のウクライナ戦争開始後は、天然ガスのロシア依存脱却を進めるヨーロッパ諸国が、従来は日本に向けて天然ガスを輸出していた諸国（例えばカタール）からのLNG輸入を急拡大したため、この面での日本の競争優位低下はより深刻化している。

結果、総発電電力量を不自然な形で削減することになり、その過程で日本の未来をあやうくする「産業縮小シナリオ」が部分的な形ではあれ導入されてしまったことである。同見通しでは、再生可能エネルギー36～38％、原子力20～22％という、いずれも実現不可能な高い数値が打ち出された。これらは比率であるから、分子と分母から構成される。しかし、分子の積み上げは困難をきわめた。

再生エネについては、なんとか30％分までは目算がたっていた。問題はさらに6～8ポイント分を積み増すことであり、2021年8月4日の基本政策分科会の時点でもその目処は立っていなかった（資源エネルギー庁、2021d：42頁）。だから、同日に提示された素案には再生エネ電源の具体的内訳が書かれていなかったのであり、にもかかわらず素案の取り扱いを「座長一任」としたことは、いかにも乱暴な議事運営であった。

一方、原子力についてみれば、既述のように、基本政策分科会の事務局をつとめた資源エネルギー庁（以下、「エネ庁」と表記）は、2030年に27基の原子炉が80％の稼働率で動けば「2030年度20～22％」の達成は可能であると主張した。しかし、同じエネ庁は、2018年に第5次エネルギー基本計画を策定した際には、「2030年度20～22％」の実現のためには、30基の原子炉が80％の稼働率で動くことが必要だとしていた（橘川、2020：78-79頁）。つまり、いつのまにか原子力比率の分子は、30基相当分から27基相当分へ、1割ほど削減されたことになる。

分子の積み上げに窮したエネ庁は、帳尻合わせのために、分母を削減するという「奥の手」を繰り出した。30年度の年間総発電電力量を第5次エネルギー基本計画の1兆650億kWhから9340億kWhへ、12％減らすという策を弄したのである。

分母を1割強削減した結果、分子の積み上げがうまくゆかなくとも、比率は何とかつじつまが合うことになった。「2030年度再生エネ36～38％」を掲げることもできたし、分子が1割減ったにもかかわらず分母も1割強縮小したため、「原子力20～22%」を維持することも可能になった。

ただし、ここで、想起すべき事実がある。それは、2020年12月21日の基本政策分科会でエネ庁が50年度の電源構成見通しについて再生エネ50～60%、水素・アンモニア火力10%、CCUS（二酸化炭素回収・利用、貯留）付き火力プラス原子力30～40%という参考値を提示した際、2050年度の総発電電力量を1兆3000億kWh～1兆5000億kWhとし、現状より3～5割増えると見込んだことである（資源エネルギー庁、2020c：148頁）。これを受けて、2021年5月13日の基本政策分科会でこの参考値にもとづくモデル分析の結果を発表したRITE（地球環境産業技術研究機構）は、2050年度の総発電電量が1兆3500億kWhになるとの見通しを示した（地球環境産業技術研究機構、2021）。つまり、エネ庁は、電化の進展によって2050年度には総発電電力量が現状より3～5割増加するという認識をもちながら、そこまでの中間点である2030年度については総発電電力量が1割強減少するという、矛盾に満ちた未来図を描いたことになる。この矛盾が、2030年度の電源ミックス策定時の「分母減らし」という、無理な帳尻合わせによってもたらされたことは、言うまでもない。

エネ庁は、無理な「分母減らし」である総発電電力量削減を合理化するために、「省エネの深掘り」という理屈を持ち出した。確かに、2021年8月4日の基本政策分科会で配布された参考資料（資源エネルギー庁、2021d）によれば、深掘りの結果、多くの産業で2030年へ向けての省エネ量の見通しは増えた。しかし、最大の二酸化炭素排出産業である鉄鋼業については、深掘りしたにもかかわらず、省エネ量見通しが280万klから174万kl（原油換算値）へ大幅に縮小した。これは、2030年度の粗鋼生産量見通しを従来の電源構成見通し策定時（2015年）の1億2000万トンから9000万トンへ、25%も引き下げたからである。同様のケースは、2030年度の生産量見通しを2700万トンから2200万トンへ19%縮小した紙・板紙製造業についても、観察される。つまり、今回の帳尻合わせのための総発電電力量削減のプロセスでエネ庁は、「省エネの深掘り」を超えて、「産業縮小シナリオ」に踏み込んだことになる。

このことのもつ意味は重大である。これまでも、いわゆる「環境派」のなかには、「産業を縮小してでも二酸化炭素排出量を削減すべきだ」と主張する者がいた。このような意見に対して、経済産業省ないしエネ庁は、それは本末転倒であると強く反論してきた。この反論は的確なものであると評価できるが、今回の帳尻合わせのプロセスでは、エネ庁自身が「産業縮小シナリオ」に踏み込んでしまったのである。

もちろん、2030年度のエチレン生産量見通しのように、従来の電源構成見通し策定時の水準(570万トン)を維持したケースもあるから、今のところ、エネ庁による「産業縮小シナリオ」への踏み込みは部分的なものにとどまっている。しかし、第6次エネルギー基本計画に盛り込まれた2030年度の電源ミックスが、産業縮小のきっかけとなる危険性は十分に存在する。今後、「産業縮小シナリオ」が広がっていくことがないよう、われわれは監視の眼を強めなければならない。

## 第6次エネルギー基本計画に盛り込むべきだった内容

それにしても、つくづく思うのは、第6次エネルギー基本計画に2030年度の電源構成見通しを盛り込む必要はなかったという点である。計画経済をとる社会主義国ではない日本であえて電源ミックスを作成する理由は、電源開発は大規模投資となるため、長期にわたる電源構成見通しがないと企業が投資の意思決定をしにくいという点に求めることができる。しかし、第6次エネルギー基本計画を閣議決定した2021年当時、2030年はわずか9年後のことであった。そのようなタイミングで電源構成見通しを作ったとしても、それを見て新たな大規模電源投資を決定するような企業などあるはずがない。

「2050年カーボンニュートラル」を実現するために政府は、2020年12月には、グリーン成長戦略を策定・発表した（経済産業省、2020）。そこで重点施策として掲げたのは、①2040年までに洋上風力発電を最大で4500万kW導入する、②アンモニアを燃料とする「カーボンフリー火力発電」を普及させ、2050年までに1億トン規模のアンモニアサプライチェーンを日本がコントロールできるようにする、③2050年には水素の導入量を2000万トンにまで拡大し、水素コストを20円/Nm³以下にする、④小型モジュール炉（SMR）など新型原子炉の開発に取り組む、⑤2030年代半ばまでに乗用車新車販売で電気自動車（EV）の比率を100％にする、などの目標であった。第6次エネルギー基本計画には、2030年度に関して、無理して作った電源構成見通しなどではなく、洋上風力・水素・アンモニア・EVなどの導入規模や価格低減目標などを数値化した新しいKPI（重要業績評価指標）を盛り込むべきだったのではあるまいか。

## 悪いのは「46％削減目標」ではなく過去の失政

以上のように見て来ると、さまざまな問題をもたらす温室効果ガスの46％削減目標が悪いかのような印象が生じかねない。しかし、このような見方は、まったくの的外れである。46％削減目標それ自体は、パリ協定が打ち出した「1・5℃シナリオ」と整合的であり、高く評価されてしかるべきなのである。

端的に言えば、悪いのは46％削減目標の方ではなく、原子力比率が高過ぎ、再生エネ比率が低過ぎた従来の電源構成見通しの方である。2015年に従来の電源構成見通しを策定した際に、あるいは少なくとも2018年にそれを第5次エネルギー基本計画として追認した際に、2030年度の電源構成見通しに「原子力15％、再生エネ30％」

という的確な数値を盛り込んでいたとすれば、すでに秋田県沖などに3〜4GWの洋上風力が姿を現すことになっていただろうし、第6次エネルギー基本計画の2030年度「再生エネ36〜38％」という見通しも実現可能だったのではなかろうか。今日われわれが直面している問題の深刻度は、かなり低減していたはずなのである。

## 2050年には間に合う

気候変動問題への対応で世界に遅れをとっていた日本は、「2050年カーボンニュートラル」を宣言し、「2030年度温室効果ガス46％削減（2013年度比）」を公約することによって、目標のうえでは、一応世界に追いついた。ただし、施策面では、第5次エネルギー基本計画等の過去の悪政がたたり、2030年時点においては、まだ世界に追いつけないだろう。

しかし、われわれは、悲観ばかりしているわけにはいかない。2030年には間に合わないとしても、2050年にはまだ時間的余裕がある。将来にわたって日本が現在のように石炭を使い続けることは無理だとしても、石炭火力をアンモニア火力に置き換えていく方法や、二酸化炭素が火力発電所から大気中に放出される以前にそれを回収して再利用ないし貯蔵するCCUS（Carbon dioxide Capture, Utilization and Storage）と呼ばれる方法などには、大きな期待が寄せられている。これらの施策を動員すれば、「50年カーボンニュートラル」を達成することは、十分に可能である。われわれ日本人は今こそ、地球市民としての責務を果たさなければならない。

# 第2章 カーボンニュートラルへの日本の施策

## ユニークなコスト削減策＝既存インフラの活用で世界に貢献

### 日本の施策の全体像

日本政府は、どのような道筋で2050年までにカーボンニュートラルを実現しようとしているのだろうか。その施策は、表2-1からわかるように、大きく「電力分野」、「非電力分野」、「二酸化炭素除去」に分かれる。表2-1で掲げた諸施策のうち、下線を付していないものは、既存の技術に基づくものである。一方、下線を付したものは新機軸と言える。

### 再生可能エネルギーにおけるゲームチェンジャー

表2-1の(1)の電力分野での施策に関して中心となるのは、ゼロエミッション電源である再生可能エネルギーの活用である。内閣官房が関係各省庁と連携し2021年6月に発表した改定版の「2050年カーボンニュートラルに伴うグリーン成長戦略」（内閣官房ほか、2021。以下、「改定版グリーン成長戦略」と表記）においても、重点14

分野のうちの1番目に「洋上風力・太陽光・地熱産業（次世代再生可能エネルギー）」を挙げた。

これらのうち最も伸びしろがあるのは、洋上風力である。「改定版グリーン成長戦略」は、洋上風力について、「2030年までに1000万kW、2040年までに浮体式を含む3000万kW〜4500万kWの案件を形成する」（内閣官房ほか、2021：31頁）ことを、政府の導入目標としている。そして、「我が国におけるライフタイム全体での国内調達比率を2040年までに60％にすること、着床式の発電コストを、2030〜2035年までに、8〜9円/kWhにすること、という二つの目標を設定」（同前：32頁）する。その洋上風力の分野では、2021年末に、ゲームチェンジャーが登場した。

2021年の12月24日、エネルギー業界に衝撃が走った。政府が洋上風力の事業者を決める第1回目の公募で、対象となった3海域のすべてについて三菱商事を中心とする企業連合が、入札に成功したからである。具体的に勝者となったのは、秋田県能代市・三種町・男鹿市沖と千葉県銚子市沖では三菱商事とシーテック、秋田県由利本荘市沖では三菱商事、シーテック、ウェンティ・ジャパンであった。

この公募では、事業者の選定にあたって、事業の実現可能性や立地地域



表2-1 「2050年カーボンニュートラル」を実現するための日本政府の主要な施策

(1) 電力分野での施策
　＊既存のゼロエミッション電源（再生可能エネルギー・原子力）の拡大・活用
　＊カーボンフリー火力（水素・アンモニア・CCUS［二酸化炭素回収・利用、貯留］付き火力）の普及
(2) 非電力分野での施策
　＊電化の進展（EV［電気自動車］やヒートポンプの普及など）
　＊水素の利用拡大（水素還元製鉄やFCV［燃料電池車］の普及など）
　＊合成メタン（e-methane）、合成プロパン、合成液体燃料（e-fuel）の利用
　＊バイオマスの利用拡大
(3) 二酸化炭素除去に関する施策
　＊植林
　＊DACCS（二酸化炭素直接空気回収・貯留）
　＊BECCS（CCS［二酸化炭素回収・貯留］＋バイマス利用）

（出所）資源エネルギー庁「2050年カーボンニュートラルの実現に向けた検討」（2020年11月17日）にもとづき、筆者作成。
（注）下線を付したものは新機軸の技術。

の地元対応などの定性面を50％、売電価格を見る定量面を50％、評価する方針をとった。三菱商事を中心とする企業連合は、定性面について、能代市・三種町・男鹿市沖で応札した5事業者中1位、由利本荘市沖で5事業者中2位（1位はレノバ&東北電力ら）、銚子市沖で2事業者中2位（1位は東京電力リニューアブルパワー&オーステッド）であった。定性面では必ずしも1位ではなかったわけであるが、定量面で他を圧倒した。三菱商事らは、大量受注により規模の経済性を働かせ、コストを削減する計画をたて、kWh当たりで能代市・三種町・男鹿市沖では13・26円、由利本荘市沖では11・99円、銚子市沖では16・49円という驚くべき低位の売電価格を提示した。それぞれ定量面で2位となった事業者が示した売電価格が、kWh当たりで能代市・三種町・男鹿市沖では16・97円、由利本荘市沖では17・20円、銚子市沖では22・59円だったことを考え合わせれば、三菱商事らの「価格破壊」ぶりがよくわかる。

第6次エネルギー基本計画を策定する過程で発電コスト検証ワーキンググループが2021年8月に発表した30年の電源別発電コスト試算では、発電コストの下限値が、kWh当たりで太陽光（事業用）は8円台前半、陸上風力は9円台後半、洋上風力は26円台前半とされた。政府の発電コストの目標値は、kWh当たりで太陽光（事業用）が2025年7円、陸上風力が2030年8～9円、洋上風力が2030～35年8～9円であるから、その時点では、太陽光（事業用）や陸上風力は目標達成が視野にはいったものの、洋上風力は目標達成が困難だと思われた（以上、発電コスト検証ワーキンググループ、2021：4頁）。しかし、その5カ月後に三菱商事らが提示、落札した売電価格は、洋上風力についても、コスト削減の目標達成が可能であることを示すものであった。三菱商事を中心とする企業連合は、まさにゲームチェンジャーとして登場したのである。

その後、洋上風力の応札制度は、2022年になって変更された。しかし、三菱商事らが提示、落札したkWh当たり11円台〜16円台の売電価格は、今後の入札においても一つの基準となり、大きな影響力をもつ。三菱商事らがゲームチェンジャーであることに、変わりはないのである。

さまざまな国際機関による調査結果は、再生可能エネルギーの需要規模が世界的規模で今後、顕著に増加することを伝えている。再生可能エネルギーの需要規模が増大するという見通しが成り立つ背景には、再生可能エネ発電コストが傾向的に低下しているという現実がある。発電コストの低減は太陽光について著しく、洋上風力と陸上風力についても基本的にあてはまる。

このような再生可能エネルギーをめぐる世界の状況と比べると、日本の現状は大きく異なる。再生エネ発電コストの低減の面でもわが国は各国に遅れをとっており、「再生エネは高い」という意識が国民のあいだに広がっている。世界と日本とのあいだには、ギャップが存在するのである。

このギャップを埋めるうえで、今回の三菱商事らの「価格破壊」が果たす役割は、きわめて大きいと言える。

## 問題をかかえる原子力発電

表2-1の(1)の電力分野での施策のなかで大きな問題をかかえるのは、原子力発電である。「改定版グリーン成長戦略」は、第4の重点分野として「原子力産業」を掲げ、高速炉、小型モジュール炉（SMR）、高温ガス炉、核融合等の開発に取り組むとしている。しかし、現実には岸田文雄政権は、「次世代革新炉の開発・建設」を口にしながらも、そのための具体的な動きを見せていない。むしろ、「既存原子炉の運転延長」を前面に打ち出したために、次世代革新炉の建設は遠のいたとさえ言えるのである（この点については、本書の第4章で詳しく再論する）。つまり、原子力発電所の新増設やリプレース（建て替え）を行わないという姿勢をとり続けた安倍晋三政権や菅義偉政権と、

基本的には変わりがないのである。

新しい原子炉の建設・稼働には少なくとも30年前後の歳月を必要とするから、現時点ですぐに新増設・リプレース方針を打ち出さなければ、2050年には間に合わない。つまり、「次世代革新炉の技術開発はするが国内には作らない」というのが実際のところの政府方針なのであり、「絵に描いた餅」の域を出ない話だということになる。

表2-2は、日本の既存商業用原子力発電炉の将来的な残存状況を示したものである。わが国では、東京電力・福島第一原子力発電所の事故の経験をふまえて、2012年に改正された原子炉等規制法で、原子炉は原則として運転開始から40年経ったら廃止することになっており、原子力規制委員会の許可を得た場合には、運転期間の60年間までの延長が認められることになっている。表2-2が示すように、2022年10月時点で存在する33基の原子炉について言えば（建設中の中国電力・島根3号機と東京電力・東通、電源開発・大間は、運転開始時期が未定のため、ここでは議論から除外する）、たとえ、これらのすべてについて運転期間の60年間への延長が認められたにしても、2050年末に稼働しているのは18基にとどまる。その後、短期間のあいだに、稼働中の原子炉基数は急減する。2060年末には5基（北海道電力・泊3号機、東北電力・東通／女川3号機、中部電力・浜岡5号機、北陸電力・志賀2号機）となり、2069年12月に北海道電力・泊3号機が停止す

表 2-2　日本の既存商業用原子力発電炉の残存状況

| 時　点 | 運転期間が40 年間の場合 | すべての原子炉の運転期間が 60 年間に延長された場合の残存炉数 |
|---|---|---|
| 2030 年末 | 18 基 | 33 基 |
| 2050 年末 | 0 基 | 18 基 |
| 2060 年末 | 0 基 | 5 基（女川 3：2062.1、浜岡 5：2065.1、東通：2065.12、志賀 2、泊 3） |
| 2065 年末 | 0 基 | 2 基（志賀 2：2066.3、泊 3：2069.12） |
| 2070 年末 | 0 基 | 0 基 |

（出所）電気事業連合会編『電気事業便覧　平成 22 年版』（日本電気協会、2010）にもとづき、筆者作成。
（注）（　）内は、すべての原子炉の運転期間が 60 年間に延長された場合、2060 年代に残存する炉の名称。：の右側は、廃炉となる年月。

ると皆無となる。

このような状況を念頭において岸田政権は、2022年12月に既存原子炉の運転期間を最大10年程度延長する方針を打ち出した。そして、この方針を反映したGX脱炭素電源法が、2023年5月に成立した。しかし、それでも、日本から原子力発電が消える日が2060年代末から2070年代末に変わるだけである。

政府や電力会社が次世代革新炉の建設に具体的な動きを示さない以上、今後次々と廃炉に追い込まれる原子力は、「脱炭素の有力な選択肢」にはなりえない。原子力発電は、「副次的な電源」にとどまるのである。

## カーボンフリー火力なくしてカーボンニュートラルなし

表2-1の(1)の電力分野での施策のもう一つの柱となるのは、カーボンフリー火力である。「改定版グリーン成長戦略」は、重点分野の2番目に「水素・燃料アンモニア産業」を挙げている。

人類がめざすカーボンニュートラルの達成のためには、太陽光や風力を中心とする再生可能エネルギーが主役となることは、間違いない。ただし、これらは「お天道様任せ」、「風任せ」の変動電源であり、なんらかのバックアップの仕組みが必要となる。バックアップ役にまず期待されるのは蓄電池であるが、蓄電池はまだコストが高いし、原料調達面で中国に大きく依存するという問題点もある。したがってバックアップ役として火力発電が登場することになるが、二酸化炭素（$CO_2$）を排出する従来型の火力発電ではカーボンニュートラルに逆行してしまう。そこで、燃料にアンモニアや水素を用いて$CO_2$を排出しない、あるいはCCUS（二酸化炭素回収・利用、貯留）を付して排出する$CO_2$をオフセットする「カーボンフリー火力」が必要になるのだ。つまり、カーボンニュートラルを実現するためには、再生可能エネルギーとカーボンフリー火力ががっちりタッグを組むことが不可欠なのであり、その意味で、「カーボンフリー火力なくしてカーボンニュートラルなし」と言いうるのである。

カーボンニュートラルの達成にとって主戦場となるのは、$CO_2$を多く排出する非ＯＥＣＤ（経済協力開発機構）諸国である。これらの諸国では石炭火力への依存度も高い。日本が主唱するカーボンフリー火力という手法は、非ＯＥＣＤ諸国のカーボンニュートラル化に大きく貢献しうる。既存の火力発電設備を使い続けつつ、燃料をアンモニアや水素に転換することによって、あるいはＣＣＵＳを付すことによってカーボンニュートラルを実現する、実効性の高い移行戦略だからである。

## 非電力分野のキーテクノロジーは水素

表2-1の(2)の非電力分野での施策としては、まず、ＥＶ（電気自動車）やヒートポンプの普及による電化の進展がある。ただし、２０２０年12月に２０５０年の電源ミックスの参考値を示した際に、政府は２０５０年の電化率を38％と想定していた（資源エネルギー庁、２０２０ｂ：28頁、同２０２０ｃ：１４８頁）。つまり、電化の進展によってもエネルギー需要の過半は非電力分野に属したままだということになり、じつは、非電力分野の施策こそが、「２０５０年カーボンニュートラル」を実現するうえで鍵を握ることになる。

電化以外の非電力分野での施策の一番手に挙がるのは、水素還元製鉄の導入やＦＣＶ（燃料電池車）の普及などからなる水素の利用拡大である。それ以外の施策である合成メタン（e-methane）・合成プロパン・合成液体燃料（e-fuel）も、じつはすべてが水素と$CO_2$から合成するものであるから、水素利用の一環と捉えることができる。端的に言えば、非電力分野でのカーボンニュートラルへ向けた取組みの成否を決するのは、水素なのである。

2番目の重点分野として「水素・燃料アンモニア産業」を挙げた「改定版グリーン成長戦略」は、「水素は、発電・

輸送・産業等、幅広い分野で活用が期待されるカーボンニュートラルのキーテクノロジーである」との認識に立つ。そして、「2050年には2000万トン程度の供給量を目指す」としている（以上、内閣官房ほか，2021：41頁）。

## 二酸化炭素除去の施策

ここまで述べてきた表2-1の(1)や(2)の施策を完遂したとしても、2050年の時点で、電力分野でも非電力分野でもなお少々の$CO_2$排出は残るだろう。その分を相殺し、カーボンニュートラルを真に実現するためには、同表の(3)の二酸化炭素除去に関する施策が必要になる。

表2-1の(3)にある二酸化炭素除去の施策としてはまず、植物の炭酸同化作用の規模を拡大する植林を挙げることができる。海藻等を使うブルーカーボンも、重要である。そのほか、$CO_2$を空気中から直接回収して貯留するDACCSや、CCS（二酸化炭素回収・貯留）をバイオマス利用と結びつけるBECCSも、有効である。

## 避けられないコストの上昇

ここまでカーボンニュートラルをめざす日本の諸施策を見てきたが、そこには大きな難題が待ち構えている。それは、コスト上昇が避けられないという問題である。

第6次エネルギー基本計画の策定をめぐって審議を重ねていた2021年5月13日の総合資源エネルギー調査会基本政策分科会第43回会合で、衝撃的なシーンがあった。RITE（地球環境産業技術研究機構）が、その日に向けて準備した「2050年カーボンニュートラルのシナリオ分析（中間報告）」（地球環境産業技術研究機構，2021）のなかで、想定した七つのシナリオのいずれをとったとしても、2050年におけるわが国の電力コスト（限界費用）

は大幅に上昇することを発表したのである。

RITEによる2050年の日本における電力コスト（限界費用）のシナリオ別試算結果は、表2-3のとおりである。各シナリオが想定する電源構成は、①が政府の2050年電源構成見通しの参考値にもとづくもの、②が再生可能エネルギー比率を100％としたもの、③が再生可能エネルギーの比率を高めたもの、④が原子力の比率を高めたもの、⑤が水素・アンモニア火力の比率を高めたもの、⑥がCCUS付き火力の比率を高めたもの、⑦がカーシェアリングの普及を織り込んだもの、となっている。なお、①については、試算を行う際に原子力とCCUS付き火力を一括して取り扱うことは不可能なので、RITEは政府の了解を得たうえで、原子力を10％、CCUS火力を23％と設定している。政府が本音ベースでは、2050年の電源構成における原子力の比率を10％と見込んでいることが、図らずも表面化してしまったわけである。

表2-3の各シナリオの右端の数値を見ればわかるように、カーボンニュートラル下の2050年の電力コスト（限界費用）は、いずれの場合でも、現行水準（13円/kWh、2020年時点）より大幅に上昇する。②の再生エネ100％ケースの場合、上昇幅が特に大きいが、これはあくまで限界費用を示したものなので、今後、再生エネ関連のイノベーションが



表2-3　RITEによる2050年の日本における電力コスト（限界費用）のシナリオ別試算結果

| シナリオ | 電源構成（%） | | | | 総発電電力量（兆kWh） | 電力コスト（円/kWh、限界費用） |
|---|---|---|---|---|---|---|
| | 再生エネ | 原子力 | 水素・アンモニア火力 | CCUS火力 | | |
| ①政府の参考値 | 54 | 10 | 13 | 23 | 1.35 | 24.9 |
| ②再生エネ100% | 100 | 0 | 0 | 0 | 1.05 | 53.4 |
| ③再生エネ活用 | 63 | 10 | 2 | 25 | 1.50 | 22.4 |
| ④原子力活用 | 53 | 20 | 4 | 23 | 1.35 | 24.1 |
| ⑤水素・アンモニア火力活用 | 47 | 10 | 23 | 20 | 1.35 | 23.5 |
| ⑥CCUS火力活用 | 44 | 10 | 10 | 35 | 1.35 | 22.7 |
| ⑦カーシェアリング普及 | 51 | 10 | 15 | 24 | 1.35 | 24.6 |

（出所）地球環境産業技術研究機構（RITE）（2021）にもとづき、筆者作成。

進めば顕著に低下する可能性があり、現時点で②のシナリオを排除する理由にはならない。いずれにしても、カーボンニュートラルを達成しようとすると、このままでは電力コストの相当程度の上昇は避けられそうにないのである。

## 二つのコスト削減策

電力コストの上昇を抑えるためには、さまざまなイノベーションを実現しなければならない。ただし、将来のイノベーションについて、現時点でその内容を予想することは不可能である。したがって、将来のビジョンを描くときに、あらかじめイノベーションを織り込むことは、適切ではない。イノベーションが決定的に重要であることには変わりがないが、あらかじめ準備することが可能な別のコスト削減策にも目を向ける必要がある。

ここで注目すべきは、イノベーションとは別に、確実に成果をあげるコスト抑制策がもう一つ存在することである。それは、既存インフラの徹底的な活用である。

## 日本のアプローチの特徴：既存インフラの徹底活用

カーボンニュートラルをめざす日本のアプローチには、欧米諸国ではあまり重視されていない二つの施策が含まれている。アンモニアを燃料として使用するカーボンフリー火力発電と、$CO_2$と水素から都市ガスの主成分のメタンを合成するメタネーションとが、それである。2021年6月に改定された「グリーン成長戦略」では、重点14分野のうち2番目にアンモニア利用を、3番目にメタネーションを、各々取り上げている（内閣官房ほか、2021）。

考えてみれば、アンモニア利用は既存の石炭火力設備を徹底的に活用することを意味し、メタネーションは既存のガス導管を徹底的に活用することを意味する。この既存インフラの徹底活用はコスト上昇を抑制するが、それだけにはとどまらない。

既存インフラを活用する日本のアプローチは、今後進展していく非OECD（経済協力開発機構）諸国のカーボンニュートラル化の過程でも、大いに効果を発揮することだろう。$CO_2$の排出量の多さから見て、地球全体のカーボンニュートラル化の成否を決するのは、非OECD諸国の動向である。それらの国々では、石炭火力への依存度も高く、ガス利用も急速に拡大している。それに対して、例えば2021年のCOP26（国連気候変動枠組条約第26回締約国会議）の主催国だったイギリスのように「石炭火力は使うな」、「ガスの使用を抑制せよ」と言ってしまうと、非OECD諸国は立つ瀬がなくなる。しかし、日本のアプローチを導入すれば、石炭火力やガスインフラを使用しながら、燃料を石炭からアンモニアへ、あるいは天然ガスから合成メタンへ徐々に転換することによって、非OECD諸国もカーボンニュートラルを達成できる。これまで気候変動対策で出遅れていた日本であるが、2050年までにはカーボンニュートラル化の国際的リーダーに「変身」している可能性が高い。

## 日本はディープインパクトになれる

気候変動問題への対応で世界に遅れをとっていた日本は、菅首相（当時）が「2050年カーボンニュートラル」を宣言し、「2030年度温室効果ガス46％削減（2013年度比）」を公約することによって、目標のうえでは一応世界に追いついた。ただし、施策面では「再生可能エネルギー主力電源化」を掲げながら、2030年度の電源構成見通しにおける再生可能エネルギーの比率を22～24％という低位に据え置いた2018年策定の第5次エネルギー基本計画等の過去の悪政がたたり、2030年時点においては、まだ世界に追いつけないだろう。1997年採択の京都議定書の削減目標が未達成分を排出枠取引によりカバーする形で達成されたのと同様に、今回の46%削減目標も、国費拠出をともなう形で達成されるおそれがある。

しかし、2030年には間に合わないとしても、2050年にはまだ時間的余裕がある。石炭火力のアンモニア火力への転換や既存のガスインフラを活用した合成メタンの普及を牽引する役割を果たせば、「遅れをとっていた」日本は、世界の先頭に立つことになる。カーボンニュートラルをめざす国際的な舞台で、わが国は、「差し脚」を利かして名馬ディープインパクトになることが可能なのである。



## 「GX実現のための基本方針」

カーボンニュートラルをめざす日本の諸施策は、2023年にはいると、より体系化されることになった。岸田政権が、「改定版グリーン成長戦略」を発展させる形で、2023年2月10日に「GX実現に向けた基本方針」(閣議決定、2023)を閣議決定したのである。GXとは、グリーントランスフォーメーションの略称であり、「化石燃料をできるだけ使わず、クリーンなエネルギーを活用していくための変革やその実現に向けた活動のこと」(経済産業省『METI Journal ONLINE』、2023)である。閣議決定された「GX実現に向けた基本方針」の概要は、表2-4のとおりである。

「GX実現に向けた基本方針」は、「今後10年間で150兆円超の官民投資」が行われるという見通しを示した。さらに、それを実現する呼び水として、国債(仮称「GX移行債」)を発行して得る20兆円を、GXに先行的に取り組む事業者に対して補助金として支給する方針も打ち出した。

表2-5は、「GX実現に向けた基本方針」が補助金の支給対象として掲げた事例と、それらの「今後10年間における官民投資の規模」の予測値を示したものである。ただし、いくつかの事例については、投資規模見通しが明示されていない。[4]

表2-4の(3)の記述からわかるように、この「GX実現に向けた基本方針」の主要部分を盛り込んだ「脱炭素成長型経済構造への円滑な移行の推進に関する法律案」(GX推進法案)が、第211回国会(2023年1月~同年6月21日)に提出された。同法案は、2023年5月12日に可決成立した。

## 電力業のカーボンニュートラルへの道

本章ではここまで、「2050年カーボンニュートラル」を実現するための日本政府の主要な施策に目を向けてきた。以下では、主要なエネルギー産業

4 いくつかの事例で投資規模見通しが示されていないのは、経済産業省の所轄外であるためと推測される。

表 2-4 「GX 実現に向けた基本方針」の概要

| |
|---|
| (1) エネルギー安定供給の確保を大前提とした GX の取組 |
| ①徹底した省エネの推進 |
| ②再生エネの主力電源化 |
| ＊系統整備を加速し、2030 年度を目指して北海道からの海底直流送電を整備。これらの系統投資に必要な資金の調達環境を整備。 |
| ＊地域と共生した再生エネ導入のための事業規律強化。 |
| ③原子力の活用 |
| ＊厳格な安全審査を前提に、40 年＋ 20 年の運転期間制限を設けた上で、一定の停止期間に限り、追加的な延長を認める。 |
| ＊核燃料サイクル推進、廃炉の着実かつ効率的な実現に向けた知見の共有や資金確保等の仕組みの整備。 |
| ＊最終処分の実現に向けた国主導での国民理解の促進や自治体等への主体的な働き掛けの抜本強化。 |
| ④その他の重要事項 |
| (2)「成長志向型カーボンプライシング構想」等の実現・実行 |
| ① GX 経済移行債を活用した先行投資支援 |
| ②成長志向型カーボンプライシング(CP)による GX 投資インセンティブ |
| ＊発電事業者に、EU 等と同様の「有償オークション」を段階的に導入(2033 年度～)[「有償オークション」は、二酸化炭素排出に応じて一定の負担金を支払うもの。] |
| ＊化石燃料輸入事業者等に「炭素に対する賦課金制度」の導入(2028 年度～) |
| ＊一元的に執行する主体として「GX 推進機構」を創設 |
| ③新たな金融手法の活用 |
| ＊ GX 投資の加速に向け、「GX 推進機構」が、GX 技術の社会実装段階におけるリスク補完策(債務保証等)を検討・実施。 |
| ④国際戦略・公正な移行・中小企業等の GX |
| (3) 進捗評価と必要な見直し |
| ＊法制上の措置が必要なものを第 211 回国会に提出する法案に明記し、確実に実行していく。 |

(出所) 経済産業省「GX 実現に向けた基本方針の概要」(2023 年 2 月)にもとづき、筆者作成。
(注) 原資料でとくに強調するために下線が引かれた箇所を、＊を付して抜粋。

およびエネルギー多消費産業のカーボンニュートラルをめざすトランジション戦略を概観することにしよう。

経済産業省資源エネルギー庁電力基盤整備課は、２０２２年２月に、「電力分野のトランジション・ロードマップ」（経済産業省資源エネルギー庁電力基盤整備課、２０２２。以下、「ロードマップ（電力）」と表記）と題する、電力業に関する技術ロードマップを開示した。

「ロードマップ（電力）」が具体的施策として掲げるのは、「水素・アンモニア・バイオマスの混焼及び専焼、ＣＣＵＳの活用といった火力電源の脱炭素化」、「最新鋭の再エネ、原子力」、「系統増強や需要側の電化に向けた技術等」である。ここで言うＣＣＵＳとは、ＣＣＵとＣＣＳとを統合した言葉であり、二酸化炭素回収・利用、貯留のことをさす。

「ロードマップ（電力）」の記述で特徴的な

表 2-5 「GX 実現に向けた基本方針」が掲げた事例と今後 10 年間の投資規模（予測値）

| 事　例 | 今後 10 年間の官民投資の規模 |
|---|---|
| （1） 水素・アンモニア | 約 7 兆円～ |
| （2） 蓄電池産業 | 約 7 兆円～ |
| （3） 鉄鋼業 | 3 兆円～ |
| （4） 化学産業 | 約 3 兆円～ |
| （5） セメント産業 | 約 1 兆円～ |
| （6） 紙パ産業 | 約 1 兆円～ |
| （7） 自動車産業 | 約 34 兆円～ |
| （8） 資源循環産業 | 約 2 兆円～ |
| （9） 住宅・建築物 | 約 14 兆円～ |
| （10） 脱炭素目的のデジタル投資 | 約 12 兆円～ |
| （11） 航空機産業 | 約 5 兆円～ |
| （12） ゼロエミッション船舶（海事産業） | 約 3 兆円～ |
| （13） バイオものづくり | 約 3 兆円～ |
| （14） 再生可能エネルギー | 約 20 兆円～ |
| （15） 次世代ネットワーク（系統・調整力） | 約 11 兆円～ |
| （16） 次世代革新炉 | 約 1 兆円 |
| （17） 運輸分野（船舶、自動車、航空関連を除く） | —— |
| （18） インフラ分野 | —— |
| （19） カーボンリサイクル燃料（SAF、合成燃料、合成メタン） | 約 3 兆円～ |
| （20） CCS | 約 4 兆円～ |
| （21） 食料・農林水産業 | —— |
| （22） 地域・くらし | —— |

（出所）経済産業省「GX 実現に向けた基本方針　参考資料」（2023 年 2 月）にもとづき、筆者作成。
（注）「——」は、投資規模が明示されていないことを表す。

のは、火力電源の脱炭素化に関する記述が厚いことである。これは、当然のことと言える。先述した次のような事情が存在するからである。

カーボンニュートラルのためには、太陽光や風力のような変動電源を多用しなければならない。変動電源にはバックアップの仕組みが不可欠であるが、蓄電池はまだコストが高いし、原料面で中国に大きく依存するという問題点もある。したがってバックアップ役として火力発電が登場することになるが、$CO_2$を排出する従来型の火力発電ではカーボンニュートラルに逆行してしまう。そこで、燃料にアンモニアや水素を用いて$CO_2$を排出しない、あるいはCCUSを付して排出する$CO_2$を回収する「カーボンフリー火力」が必要になる。つまり、カーボンフリー火力なくしてカーボンニュートラルはありえないという事情である。

アンモニアについて「ロードマップ（電力）」は、まず石炭火力でのアンモニア混焼から始めるとする。2024年までに実機実証を終えたのち、2025年から20％程度の混焼に取り組み、2030年代には50～60％程度の本格的混焼を行う。そして、2040年代にはアンモニア専焼を導入し、実用化するとしている。

水素については、まず混焼に関し、2025年までに実機実証等を行ったうえで、10％程度の混焼技術を確立し、2030年代に実用化する。さらに専焼に関しては、2030年まで実機実証を行ったのち、2030年代以降、技術の確立と商用化を進めるとしている。

2023年2月に閣議決定された「GX実現に向けた基本方針」は、「水素・アンモニア」を重点事例の筆頭に掲げ、「今後10年間で約7兆円超の官民投資が行われる」と見通している（表2-5）。なお、水素・アンモニアについては、本書の第6章で詳しく論じる。

CCUSについては、2030年まで、性能向上・プロセス開発・製造技術開発に取り組み、それらを実証する。

ＣＣＵＳが本格的に実施されるのは、２０３０年代以降のことになる。以上の見通しをふまえて「ロードマップ（電力）」は、火力発電に関し、「２０５０年断面でＣＣＵＳが導入されていないものは、（アンモニアないし水素の）専焼化する」と述べている。

「GX実現に向けた基本方針」は、「ＣＣＳ」を重点事例の一つに掲げ、「今後10年間で約4兆円超の官民投資が行われる」と見通している（表2-5）。なお、ＣＣＵＳについては、本書の第5章で掘り下げる。

このほか「ロードマップ（電力）」は、送電網の強化・高度化、デマンドレスポンスや電化の推進、蓄電池・揚水・分散型エネルギーリソースの拡充に言及している。一方で、再生可能エネルギーや原子力についての掘り下げは弱い。

それでも再生可能エネルギーに関しては、「GX実現に向けた基本方針」が「再生可能エネルギー」を重点事例の一つとして取り上げ、「今後10年間で約20兆円超の官民投資が行われる」と見通している。また、「GX実現に向けた基本方針」は、「次世代ネットワーク（系統・調整力）」、「蓄電池産業」、「バイオものづくり」も重点事例のなかに含め、今後10年間で、それぞれ約11兆円超、約7兆円超、約3兆円超の官民投資が進行するとしている（以上、表2-5参照）。なお、再生可能エネルギーについては、本書の第3章で光を当てる。

一方で気になるのは、グリーン成長戦略に盛り込まれた高速炉、小型モジュール炉、高温ガス炉などの次世代原子力技術に関する記述が、「ロードマップ（電力）」に含まれていない点である。政府は、「２０５０年カーボンニュートラル」の実現に「最新鋭の原子力」を使うと言いながら、本気でそうする気があるのだろうか。はなはだ疑わしいとみなさざるをえない。

「GX実現に向けた基本方針」も「次世代革新炉」を重点事例の一つに含めてはいるものの、「今後10年間で約1

兆円の官民投資が行われる」とみなしているに過ぎない。なお、原子力発電については、本書の第4章で後述する。

## ガス産業のカーボンニュートラルへの道

経済産業省は、2022年2月に、「『トランジションファイナンス』に関するガス分野における技術ロードマップ」（経済産業省、2022a。以下、「ロードマップ（ガス）」と表記）と題する、ガス産業に関する技術ロードマップを開示した。

都市ガス産業のカーボンニュートラルをめざす施策の柱となるのは、表2-1に「合成メタン（e-methane）」と掲載されている、グリーン水素ないしブルー水素と$CO_2$とから都市ガスの主成分であるメタンを合成するメタネーションである。合成メタンであっても燃焼時には$CO_2$を排出するが、製造時に$CO_2$を使用することによって相殺されると考え、カーボンニュートラルとみなすわけである。

メタネーションを行い水素と$CO_2$からメタンを合成して利用することは、水素を直接使用することと比べて、エネルギーロスが大きくなる。にもかかわらず、都市ガス産業がメタネーションを選択するのには理由がある。水素は、メタンに比べて、容積当たりの熱量が小さい。したがって、既存の熱需要を水素供給によって充たすためには、多大な追加投資を行って導管を大幅増設しなければならない。これを避けるため、都市ガス産業は、水素よりも合成メタンに力を入れているのである。

経済産業省が開示した「ロードマップ（ガス）」では、導入規模について、2030年には既存インフラへ合成メタンを1%注入し、その他の手段と合わせて都市ガスの5%のカーボンニュートラル化を実現するとしている。そして、2050年には既存インフラへ合成メタンを90%注入し（注入量2500万トン）、その他の手段と合わせて都市ガスの100%のカーボンニュートラル化を達成するとの未来図を描いている。ここで言う「その他の手段」とは、水素の直接利用やクレジットでオフセットされたLNG（液化天然ガス）の利用、CCUなどをさす。一方、供給コストについては、2050年に合成メタンの価格が、現在のLNG価格（40〜50円／Nm³）と同水準になることをめざすとしている。

メタネーションの技術としては、水素と$CO_2$とから触媒反応によりメタンを合成するサバティエ反応（$CO_2 + 4H_2 \rightarrow CH_4 + 2H_2O$）が知られている。1995年にわが国は、この方法を使って、世界で初めて合成メタンの製造に成功した。現在はサバティエ反応によるメタネーションの実用化に向けた基盤技術の開発に取り組んでおり、今後、設備大型化に向けた技術開発・実証を矢継ぎ早に実行していく予定である。さらに、都市ガス業界では、大阪ガスや東京ガスが中心となって、既存のサバティエ反応技術を超えた革新的なメタネーション技術の開発も進めている。

一方、プロパンやブタンを主成分とするLP（液化石油）ガスの分野でも、最終的には水素と$CO_2$とから合成プロパンや合成ブタンを製造し、カーボンニュートラルを達成することが基本方針である。「ロードマップ（ガス）」では、合成プロパンや合成ブタンを「グリーンLPガス」と呼び、「グリーンLPガスの合成に係る技術開発・実証を今後10年で集中的に行うことで、2030年までに合成技術を確立し、商用化を実現。2050年には需要の全量をグリーンLPガスに代替することを目指す」としている。

ただし、これらのプロパネーションやブタネーションは、メタネーションより技術的に困難である。また、都市ガス業界に比べて構成企業の規模が小さいLPガス業界では、今のところ、プロパネーションやブタネーションの担い手が見当たらない。実際には、プロパネーションやブタネーションへの道は、メタネーションへの道よりも険しいものとなるだろう。

2023年に閣議決定された「GX実現に向けた基本方針」は、合成メタン(e-methane)やグリーンLPガスを含む「カーボンリサイクル燃料(SAF、合成燃料、合成メタン)」を重点事例の一つとして取り上げ、「今後10年間で約3兆円超の官民投資が行われる」と見通している。このうち合成メタンに関する官民投資見込みは、約2兆円である(以上、表2-5参照)。なお、e-methaneとグリーンLPガスについては、本書の第6章で詳しく再論する。

## 石油産業のカーボンニュートラルへの道

経済産業省は、2022年2月に、「『トランジションファイナンス』に関する石油分野におけるロードマップ」(経済産業省、2022b。以下、「ロードマップ(石油)」と表記)と題する、石油産業に関する技術ロードマップを開示した。

この「ロードマップ(石油)」は、カーボンニュートラルへ向けた石油産業の道筋について、「各種省エネや燃料転換推進等による着実な低炭素化への取組や、$CO_2$フリー水素やCCS・CCU等を用いた脱炭素化への取組を進めつつ、脱炭素燃料(水素・アンモニア・バイオ燃料・合成燃料等)の供給体制へのシフトといった取組の促進が重要。脱炭素化への取組は、技術の導入のみならず、カーボンクレジットの活用やカーボンオフセット商品の購入等も考えられる」(6頁)、と述べている。

石油分野における$CO_2$排出は、採掘・輸送等から約3%、原油処理から約4%、製品燃焼から約93%の比率でなされる。したがって、カーボンニュートラルを実現するうえでは「製品燃焼」への対策が鍵を握るが、そこで想定されているのは、水素・アンモニア、バイオ燃料、合成燃料などの脱炭素燃料への転換である。

まず水素・アンモニアについては、2030年以降に、$CO_2$フリー水素・アンモニアサプライチェーンの構築をめざす。このうち「ロードマップ（石油）」がとくに重視しているのは水素であり、2025年頃までに約200万トン、2030年頃までに最大300万トン、2050年までに2000万トン程度の導入をもくろむ。2025年頃までは製造過程で$CO_2$を排出する副生水素も利用するが、それ以降は、再生可能エネルギー電源からの電気を使った水の電気分解、CCSやCCUの実施などによって、水素供給のカーボンフリー化を図る。水素のキャリアについては、現時点では決め打ちせず、液体水素、MCH（メチルシクロヘキサン）、アンモニア、合成メタンのいずれの可能性も追求する。

ここで想起すべき点は、水素供給のカーボンフリー化で大きな役割をはたすCCSやCCUが、石油産業と密接な関連をもっていることである。

CCSの貯留場所として最適なのは、既存の油田やガス田である。世界でCCSが現実に行われているのはアメリカ・カナダ・サウジアラビア・アラブ首長国連邦、計画されているのはオーストラリア・ノルウェーのそれぞれ油田・ガス田であることは、そのことを雄弁に物語っている。油田の場合には、EOR（原油増進回収）と結びつけ、油田の再生を実現して、CCSの経済性を向上させることもできる。油田やガス田がCCSの主要な舞台となる以上、石油産業の上流部門には大いに出番がある。INPEXがCCSへの取組みを積極化していることは、その証左だと言える。

CCUを成功させるためには、石油化学事業で得られる知見がきわめて有用である。日本の石油元売り会社は、石油化学事業を自社の一部門としているか、子会社の事業としている。石油産業自身が、CCUの重要な担い手なのである。

次にバイオ燃料について「ロードマップ（石油）」は、すでに利用されているガソリン代替のバイオエタノールや軽油代替のバイオディーゼルに加えて、持続可能な航空燃料としてのＳＡＦ（Sustainable Aviation Fuel）の導入を進めるとしている。導入時期は、２０３０年以降とする。ＳＡＦは、ＩＣＡＯ（国際民間航空機関）の$CO_2$削減枠組の達成にとって大きな意味をもつバイオ燃料である。

最後に合成燃料について「ロードマップ（石油）」は、実装時期を２０３０年代と設定する。ここで言う合成燃料とは、水素と$CO_2$から製造する合成液体燃料のことであり、「e-fuel」と呼ばれる（前掲の表2-1参照）。合成液体燃料であっても燃焼時には$CO_2$を排出するが、製造時に$CO_2$を使用することによって相殺されるとみなされ、カーボンニュートラルな燃料と評価されるわけである。合成液体燃料を製造するとき使用する水素は、もちろん、カーボンフリー化された水素でなければならない。

液体燃料は、エネルギー密度の高さの点で秀でている。したがって、２０５０年になりカーボンニュートラルの時代になっても、航空機や船舶、大型車両は、液体燃料を使用している蓋然性が高い。ただし、従来型のジェット燃料、重油、軽油など使っていては、カーボンニュートラルは達成されない。そこで、カーボンフリーの合成液体燃料への代替が求められるわけである。

現在の石油系燃料をe-fuelへ置き換えられることができるならば、街のＳＳ（サービスステーション）を含む既存の石油インフラの多くを、そのまま活用することができる。カーボンニュートラルを達成するためには、エネルギーコストの相当程度の上昇が避けられないと見込まれている。コスト上昇を抑えるためには、さまざまなイノベーションを実現しなければならないが、それとともに、やるべきことが一つある。それは、既存インフラの徹底的な活用である。既存の石炭火力を使い倒す燃料アンモニアの使用が電力業において、既存のガスインフラを使い倒すメタネーションが都市ガス産業において、それぞれカーボンニュートラル化への決め手となっているように、石油産業においても、既存の石油インフラを使い倒す合成液体燃料（e-fuel）が、カーボンニュートラル化の決め手となる。カーボンニュートラルへ向けた石油産業の「プランA」は、e-fuelにあると言える。

2023年に閣議決定された「GX実現に向けた基本方針」は、SAFや合成液体燃料（e-fuel）を含む「カーボンリサイクル燃料（SAF、合成燃料、合成メタン）」を重点事例の一つとして取り上げ、「今後10年間で約3兆円超の官民投資が行われる」と見通している。このうちSAFと合成燃料に関する官民投資見込みは、それぞれ約0・6兆円、約0・4兆円である（以上、表2-5参照）。なお、SAFとe-fuelについては、本書の第6章で再論する。

## 鉄鋼業のカーボンニュートラルへの道

経済産業省は、2021年10月に、「『トランジションファイナンス』に関する鉄鋼分野における技術ロードマップ」（経済産業省、2021a。以下、「ロードマップ（鉄鋼）」と表記）と題する、鉄鋼業に関する技術ロードマップを開示した。

「ロードマップ（鉄鋼）」は、まず、「産業部門の$CO_2$排出のうち40％（我が国全体の$CO_2$排出の14％）を占める鉄鋼業において、$CO_2$排出量の削減は喫緊の課題」となっていると強調する（9頁）。そして、「1トンの鉄製造で約2トンの$CO_2$が発生するが、その大半は、高炉における鉄鉱石の還元工程で発生している」と指摘する（12頁）。

このような認識に立って「ロードマップ（鉄鋼）」は、高炉の還元工程に焦点を合わせて、カーボンニュートラル化への工程表を提示した。その具体的内容は、

・2020年代には、「従来の製鉄プロセスでは活用できない低品位の鉄鉱石及び石炭を有効利用して製造する」

（22頁）フェロコークスを活用し、$CO_2$の排出係数を10％削減する、
・二酸化炭素分離回収・利用（ＣＣＵ）を２０２０年代末に開始し、50年まで継続的に遂行する、
・２０２０年代末から２０４０年代半ばにかけて製鉄所内の水素を利用する水素還元製鉄に取り組む、
・２０４０年代なかば以降の時期に、外部のカーボンフリー水素を利用する水素還元製鉄を実用化する、
というものであった。

そのほか、「ロードマップ（鉄鋼）」は、連続鋳造・圧延工程における熱伝導効率の改善、省電力化や加熱の電化、電炉における不純物除去・大型化技術の開発、などにも言及した。しかし、カーボンニュートラルへ向けた鉄鋼業の「プランＡ」は、あくまで水素還元製鉄とＣＣＵにあると言えるだろう。

２０２３年に閣議決定された「ＧＸ実現に向けた基本方針」は、「鉄鋼業」を重点事例の一つとして取り上げ、「今後10年間で約３兆円超の官民投資が行われる」と見通している（表2-5）。そして、「オペレーションコストについてもクリーンエネルギーの利用等により別途費用が発生」と追記している（経済産業省、２０２３ｂ：５頁）。

## 化学産業のカーボンニュートラルへの道

２０５０年になっても$CO_2$を排出し続けている可能性が高い産業としては、化学産業をあげることができる。石油由来のナフサの分解によって得られる留分を使って付加価値の高い製品を生産する石油化学工業が、化学産業のなかで大きな比重を占めるからである。

もともと化学産業は、鉄鋼業に次いで、$CO_2$の排出量が多い産業である。それだけでカーボンニュートラルへの道は険しいと言えるが、いくつかの事情がその道筋をさらに複雑なものにしている。

カーボンニュートラルに関連して「脱炭素社会」という言葉がしばしば使われるが、そのような社会が到来すれば、化学産業は存立基盤を失う。化学産業とはそもそも、「炭素を使って人々を幸せにする産業」だからである。化学産業がめざすべきは「脱炭素」ではなく、「脱二酸化炭素」であることを、まずはっきりさせておかなければならない。

また、すべての産業が直面する$CO_2$排出量の削減だけでなく、廃プラスチックの処理という固有の問題を抱えている点も重要だ。脱二酸化炭素とプラスチックリサイクルという二つの課題を、同時に達成する必要がある。

さらに注目すべきは、第６次エネルギー基本計画が２０３０年度の一次エネルギー需給見通しを策定するにあたって、同年度におけるエチレン生産量を従来の想定と同じく５７０万トンと据え置いたことである。これは、同計画が従来水準と比べて、粗鋼生産量を25％、紙・板紙生産量を19％、それぞれ削減したことと対照的だと言える（以上、閣議決定、２０２１参照）。この事実は、化学産業の場合には、鉄鋼業や製紙業で見込まれる「産業縮小による$CO_2$排出量の低減」が２０３０年までは生じないことを意味する。化学産業の未来にとっては良いことであるが、それだけ脱二酸化炭素のハードルが高くなるということでもある。

これらの事情をふまえて化学産業は、どのような施策で脱二酸化炭素をめざすのか。経済産業省が２０２１年12月に発表した「『トランジションファイナンス』に関する化学分野における技術ロードマップ」（経済産業省、２０２１ｂ）によれば、２０５０年カーボンニュートラルをめざす化学産業の道筋は、大きく三つに分かれる。

第１は、熱源の転換である。基礎化学品の生産の出発点となるのは、ナフサを熱分解する炉である。そこで使用する熱源を燃焼時に$CO_2$を排出しない物質に変えないかぎり、化学産業のカーボンニュートラルは達成されない。２０２１年６月、ＩＨＩと出光興産は、アンモニアサプライチェーンを構築するプロジェクトの一環として、出光興産の徳山事業所（山口県）にあるナフサ分解炉で、アンモニアを燃料として混焼する方針を打ち出した（ＩＨＩ・出光興産，２０２１）。アンモニアは燃焼時に$CO_2$を排出しないので、この動きは、熱源転換の突破口になるかもしれない。

第2は、原料の循環である。この点では、廃プラスチックを回収して化学原料として再利用するケミカルリサイクルが重要な意味をもつ。川崎市が、２０２２年3月に発表した「川崎カーボンニュートラルコンビナート構想」（川崎市，２０２２）においてケミカルリサイクルが中心的な柱の一つとして位置づけられたことは、そのことを端的に示している。

第3は、原料の転換である。この点については、イノベーションを起こし、$CO_2$そのものを化学原料として利用できるようにすることが、理想形である。いわゆる「ＣＣＵ」（二酸化炭素回収・利用）であるが、化学産業は、その中心的な担い手となる。$CO_2$を原料にして、ポリカーボネートやポリウレタンなどの機能性化学品を製造できるようになれば、化学産業だけでなく地球全体の未来も明るいものになるだろう。脱二酸化炭素をめざす化学産業の登り道は険しいが、その先には崇高な頂が待っているのである。

２０２３年に閣議決定された「ＧＸ実現に向けた基本方針」は、「化学産業」を重点事例の一つとして取り上げ、「今後10年間で約3兆円超の官民投資が行われる」と見通している（表2-5）。そして、「ＯＰＥＸ（オペレーションコスト）についてもクリーンエネルギーの利用等により別途費用が発生」、「既存生産設備の転換は、国際競争や技術革新の状況を踏まえて判断」と追記している（経済産業省，２０２３ｂ：6頁）。

## セメント産業のカーボンニュートラルへの道

経済産業省は、２０２２年3月に、「『トランジションファイナンス』に関するセメント分野における技術ロードマップ」（経済産業省、２０２２c。以下、「ロードマップ（セメント）」と表記）と題する、セメント産業に関する技術ロードマップを開示した。

「ロードマップ（セメント）」は、まず、「製造行程におけるエネルギー消費の大部分（８割）が、１４５０度の高温を要する石灰石等の原料焼成の熱エネルギーである」（14頁）、と指摘する。そのうえで、「セメント産業では石炭を燃料及び原料として利用している。焼成工程で１４５０度の高温を保つことに適しているだけでなく、焼成時に発生する石炭灰はセメント成分である$SiO_2$（シリカ）、$Al_2O_3$（アルミナ）の貴重な原料であり、天然原料代替という観点からも石炭はセメント製造プロセスに合理的な電力・原料供給源の一つとしてスタンダードとなっている」（16頁）と述べて、石炭使用が燃料・原料の両面で重要な意味をもつという、セメント産業固有の事情を説明する。

「ロードマップ（セメント）」は、セメント産業においてカーボンニュートラルを実現するために、①プロセス由来$CO_2$の削減と、②エネルギー由来$CO_2$の削減の双方に取り組む必要があるとしている。具体的に言えば、①のプロセス由来$CO_2$の削減に関しては、トランジションの方策として、廃棄物を活用した原料代替や炭酸塩の生成、クリンカ[5]比率の低いセメントの開発などに取り組みつつ、長期的にはＣＣＵＳの開発を進める。②のエネルギー由来$CO_2$の削減に関しては、短期的にはエネルギー代替廃棄利用の拡大や省エネ・高効率な設備の導入などに引き続き取り組みつつ、長期的には自家発電設備やキルンにおいて水素やアンモニアなど脱炭素燃料への燃料転換をめざす（以上、32頁参照）。

2023年に閣議決定された「GX実現に向けた基本方針」は、「セメント産業」を重点事例の一つとして取り上げ、「今後10年間で約1兆円超の官民投資が行われる」と見通している（表2-5）。そして、「オペレーションコストについてもクリーンエネルギーの利用等により別途費用が発生」と追記している（経済産業省、2023b：7頁）。

## 紙・パルプ産業のカーボンニュートラルへの道

経済産業省は、2022年3月に、「『トランジションファイナンス』に関する紙・パルプ分野における技術ロードマップ」（経済産業省、2022d。以下、「ロードマップ（紙パ）」と表記）と題する、紙・パルプ産業に関する技術ロードマップを開示した。

「ロードマップ（紙パ）」は、「2050年カーボンニュートラルの実現に向け、製造工程において電力や熱を多く使用する乾燥工程を中心に、省エネルギー設備の導入や革新的な省エネルギー技術の開発を進める」としている。そして、

①「2030年に向けては、$CO_2$排出の主な要因である自家発蒸気・電力の燃料を、石炭から木質バイオマス等の再生可能エネルギーへ転換を進めることが必要であり、2050年に向けては、更なる燃料転換を進めるとともに、化石燃料が残る可能性に備え、$CO_2$回収・固定・再利用技術の導入検討も進める」、

5　クリンカは、「焼塊（しょうかい）」と呼ばれるセメントの材料。焼成の際、キルンの内部でも生成される。

②「加えて、製紙業界は所有する森林面積が多く、持続可能な森林経営の促進や成長の早い樹種の開発により森林によるCO$_2$吸収・固定量を増大し、社会全体のカーボンニュートラルに貢献するとともに、自社のCO$_2$オフセットを進める。また、クレジット制度の整備により、森林によるCO$_2$吸収を適正に価値化することで、より高度な森林経営を図ることができる」、

③「木材からパルプ・リグニン等を成分分離する紙・パルプ産業の技術は、化石資源由来の化学製品に替わり木質資源から化学製品を製造する「バイオリファイナリー」技術として展開することで、社会全体のカーボンニュートラルに貢献する。また、木質資源由来のカーボンニュートラルな環境対応素材を用いた製品を提供することで、サプライチェーン全体でのCO$_2$削減に寄与する」、

という3点に言及している（以上、21頁）。

2023年に閣議決定された「GX実現に向けた基本方針」は、「紙パ産業」を重点事例の一つとして取り上げ、「今後10年間で約1兆円超の官民投資が行われる」と見通している（表2-5）。そして、「OPEXについてもクリーンエネルギーの利用等により別途費用が発生」、「既存生産設備の転換は、国際競争や技術革新の状況を踏まえて判断」と追記している（経済産業省、2023b：8頁）。

この章では、カーボンニュートラルをめざす日本の諸施策に光を当てた。以下の各章では、それらの施策がエネルギー源別・電源別にどのように取り組まれつつあるかについて掘り下げる。

# 第3章 再生可能エネルギーをどうするか

## 主力電源化への険しい道のり

### 再生可能エネルギーの現状と第6次エネルギー基本計画

2018年の第5次エネルギー基本計画を機に、日本は、再生可能エネルギー（再生エネ）主力電源化の方向へ舵を切った。2021年の第6次エネルギー基本計画も、2030年度の電源構成見通しにおいて、再生エネ電源を36～38％とし、きわめて高く位置づけた。2023年の「GX実現に向けた基本方針」も、改めて再生エネ主力電源化の重要性を強調した。

表3-1は、日本における2011・2021年度の再生エネの導入状況と、第6次エネルギー基本計画の2030年度の電源構成見通し（電源ミックス）における再生エネの位置づけを見たものである。この表から、東日本大震災と東京電力・福島第一原子力発電所事故が起きた2011年からの10年間に、電源構成に占める再生エネの比率は、約2倍に増進したことがわかる（2011年度10・4％→2021年度20・3％、以下同様）。それを牽引したのは太陽光であり（0・4％→8・3％）、バイオマスがそれに続いた（1・5％→3・2％）。対照的に風力（0・

4%→0・9%）と地熱（0・2%→0・3%）の伸びは十分とは言えず、水力はわずかながら比率を低下させた（7・8%→7・5%）。[6]

2011年以降、再生エネの導入が進んだことは間違いないが、それでも日本の到達点は、諸外国に比べれば、まだまだ低い。その点は、2021年における再生エネ発電比率を国際比較した図3-1から、読み取ることができる。

これらの図表から、2011年からの10年間に日本では再生エネの導入が進んだものの、その到達点は国際的にみればいまだに不十分であることがわかる。そして再生エネ電源比率が、第6次エネルギー基本計画に盛り込まれた2030年度の電源構成見通しが示した36~38%という水準へ期限内に達することは、困難であることも判明する。

6　水力については、2011~21年度に、発電電力量自体が減退した（表3-1）。



表 3-1　日本における再生可能エネルギーの導入状況（2011、2021 年度）と第 6 次エネルギー基本計画の 2030 年度電源構成見通し（電源ミックス）における再生エネの位置づけ

| | 2011 年度 | 2021 年度 | 2030 年度見通し |
|---|---|---|---|
| 再エネの電源構成比（発電電力量） | 10.4%（1,131 億 kWh） | 20.3%（2,093 億 kWh） | 36 ～ 38%（3,360 ～ 3,530 億 kWh） |
| 太陽光 | 0.4% | 8.3% | 14 ～ 16% 程度 |
| | 48 億 kWh | 861 億 kWh | 1,290 ～ 1,460 億 kWh |
| 風力 | 0.4% | 0.9% | 5% 程度 |
| | 47 億 kWh | 94 億 kWh | 510 億 kWh |
| 水力 | 7.8% | 7.5% | 11% 程度 |
| | 849 億 kWh | 776 億 kWh | 980 億 kWh |
| 地熱 | 0.2% | 0.3% | 1% 程度 |
| | 27 億 kWh | 30 億 kWh | 110 億 kWh |
| バイオマス | 1.5% | 3.2% | 5% 程度 |
| | 159 億 kWh | 332 億 kWh | 470 億 kWh |

※ 21 年度数値は 2021 年度エネルギー需給実績 ( 確報 ) より引用

（出所）資源エネルギー庁「今後の再生可能エネルギー政策について」（2023 年 6 月 21 日）。

図 3-1　再生可能エネルギー発電比率の国際比較（2021 年）

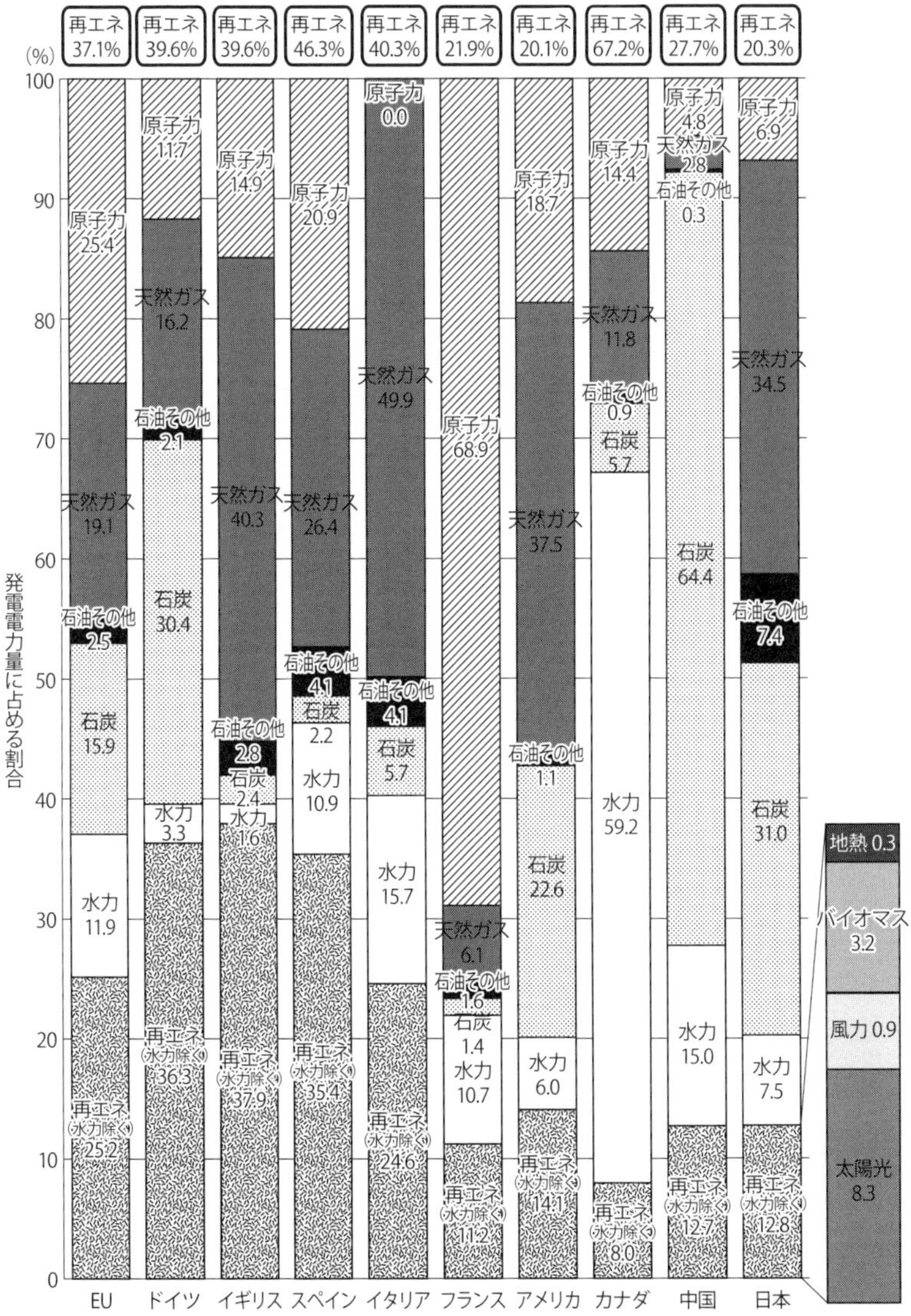


（原資料）IEA データベース、2021 年度エネルギー需給実績（確報）より資源エネルギー庁作成。
（出所）資源エネルギー庁前掲「今後の再生可能エネルギー政策について」にもとづき、筆者作成。

## 「GX実現に向けた基本方針」と再生可能エネルギー

前掲の表2-4で見たように、2023年2月に閣議決定された「GX（グリーントランスフォーメーション）実現に向けた基本方針」は、「再生エネ（再生可能エネルギー）の主力電源化」を重点施策の一つに掲げた。そして、経済産業省「GX実現に向けた基本方針の概要」（経済産業省、2023a）は、次のような諸点に下線を引いて、とくに重視する姿勢を示していた。

＊系統整備を加速し、2030年度を目指して北海道からの海底直流送電を整備。これらの系統投資に必要な資金の調達環境を整備。

＊地域と共生した再生エネ導入のための事業規律強化。

このほか、「GX実現に向けた基本方針の概要」は、再生エネの主力電源化に関して、下線は引いていないものの、以下のようにも記している。

◯洋上風力の導入拡大に向け、「日本版セントラル方式」を確立するとともに、新たな公募ルールによる公募開始。

◯次世代太陽電池（ペロブスカイト）や浮体式洋上風力の社会的実装化。

なお、セントラル方式とは、風力発電の準備段階で国が調査や系統協議などを実施し、複数事業者が入札で買取価格を競い合うことで、全体的としてのコストを低減させる仕組みのことである。「日本版セントラル方式」においては、準備段階での調査を独立行政法人エネルギー・金属鉱物資源機構（JOGMEC）が行い、促進区域の指定や発電事業者の公募入札は国が実施することになっている（経済産業省資源エネルギー庁・国土交通省港湾局、2022：2頁）。

また、ペロブスカイト太陽電池とは、太陽光のエネルギーを直接電気に変換して利用する太陽電池のことで、塗布や印刷技術で量産でき、これによって、ゆがみに強く軽い太陽電池の実現が期待されている。岸田政権は、再生エネにかかわる技術的課題として、ペロブスカイト太陽電池と浮体式洋上風力を重視しているわけである。

また、下線が引かれている部分に含まれる海底直流送電は、下線が引かれていない部分で言及している洋上風力発電の導入拡大と深く関係している。つまり、岸田文雄政権は、再生可能エネルギーのなかで、とくに洋上風力の拡充に力を入れていると言える。

## 太陽光発電

資源エネルギー庁は、2023年6月21日に「今後の再生可能エネルギー政策について」（資源エネルギー庁、2023b。以下、「再生エネ政策について」と表記）と題する文書を発表した。以下では、この文書



図 3-2　日本における太陽光発電の導入実績（2019 年度末・2022 年度末）と導入目標（2030 年度）

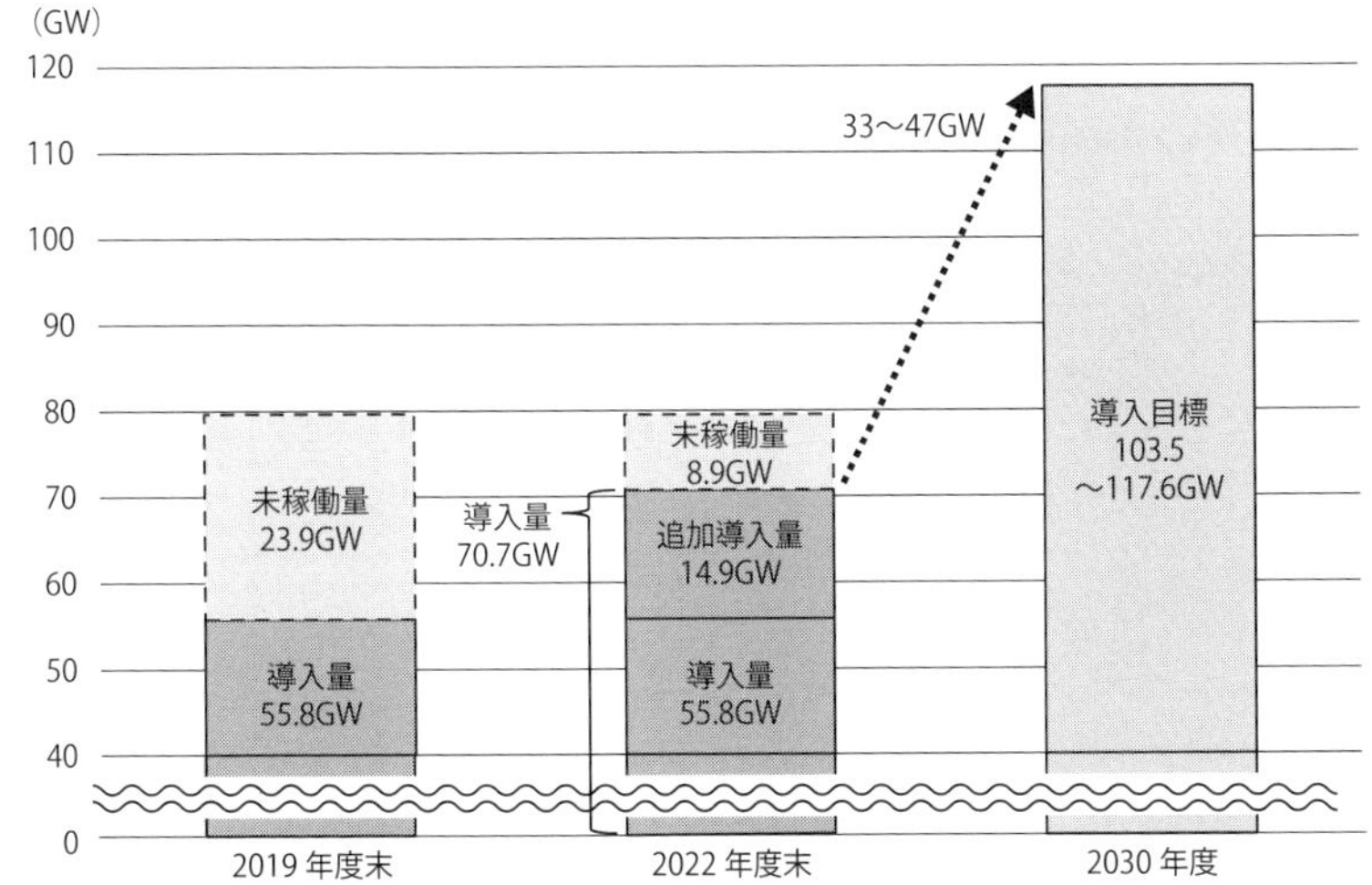


※ 導入量は、FIT 前導入量 5.6GW を含む。また、2019 年度末の未稼働量（23.9GW）のうち、認定失効制度により、2022 年度末に 4.0GW が失効済。
※ 2022 年度末時点における FIT/FIP 認定量及び導入量は速報値。
※ 入札制度における落札案件は落札年度の認定量として計上。

（出所）資源エネルギー庁前掲「今後の再生可能エネルギー政策について」。

にもとづき、日本における再生エネ発電の現状と今後の導入拡大への論点について、電源別に掘り下げる。

図3-2は、太陽光発電の2019年度末と2022年度末における導入実績と、第6次エネルギー基本計画が定めた2030年度の電源構成見通しにおける太陽光発電の導入目標を示したものである。導入実績には、認定済みの未稼働分も併記されている。

この図からわかるように、2020～22年度の期間に、わが国では太陽光発電の導入量が14・9GW伸びた。この状態から、導入目標を達成するため、2030年度までに導入量を33～47GW増加させることは、それほど簡単ではない。たしかに、図3-3が示すとおり、最近では太陽光発電導入量が、毎年5GW前後増えている。このペースを維持できれば、2030年度までに40GW前後の増加が見込まれるわけだが、そうなるとは限らない。同じ図3-3にあるように、最近では太陽光発電認定量が減退しているからである。つまり、「未導入の認定量」という〝貯金〟が目減りしているわけであり、「2030年度までに40GW前後



図 3-3　日本における太陽光発電の年間導入量・認定量の推移（2012 ～ 22 年度）

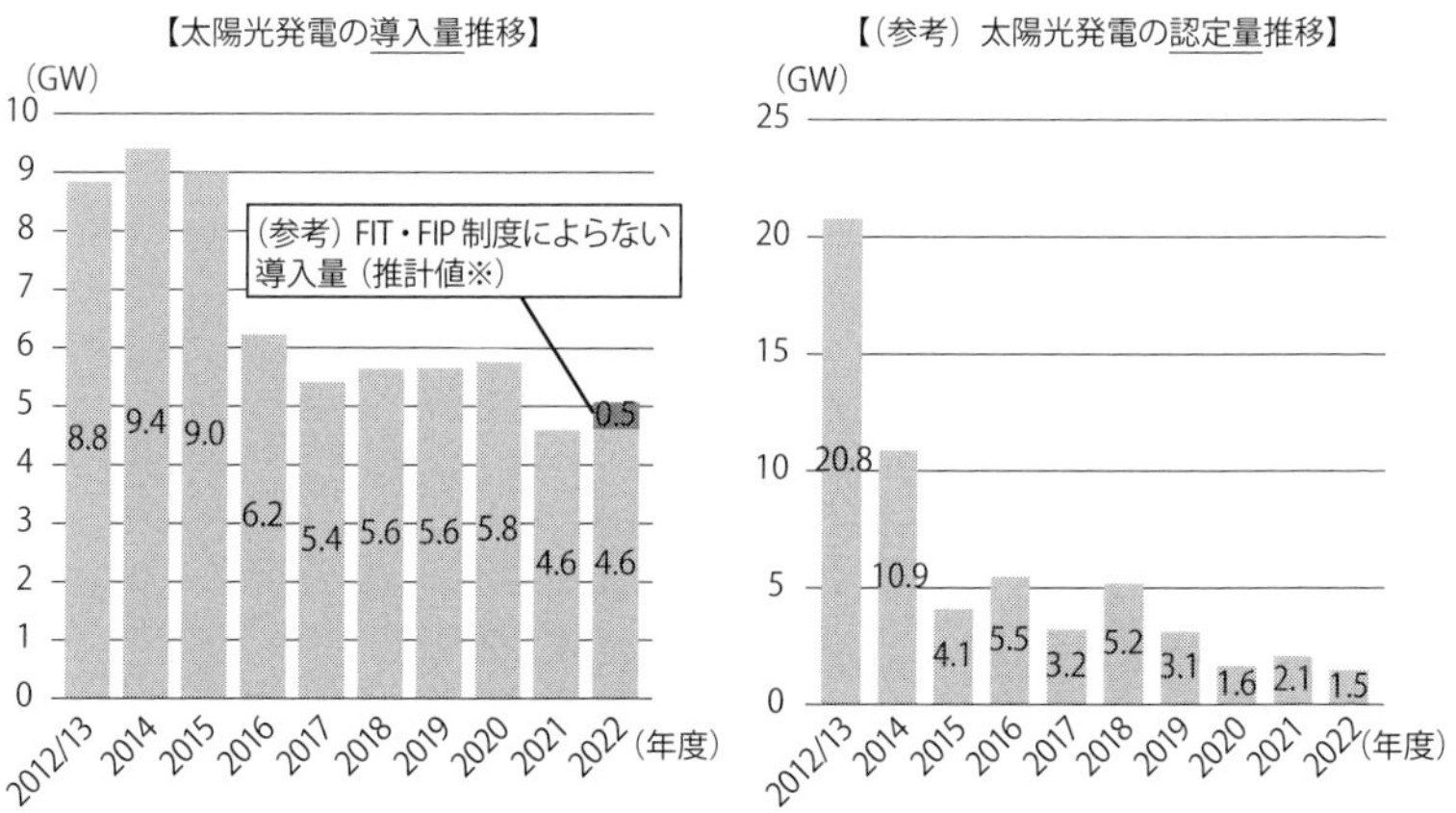


※ FIT/FIP 制度によらない太陽光発電の導入量の推計方法については、資源エネルギー庁「今後の再生可能エネルギー政策について」20 頁を参照。
※ 2022 年度末時点における FIT/FIP 認定量及び導入量は速報値。
※入札制度における落札案件は落札年度の認定量として計上。

（出所）資源エネルギー庁前掲「今後の再生可能エネルギー政策について」。

の増加」が実現されるかどうかは疑わしい。

図３-４が示すとおり、国土面積当たりの太陽光導入容量の点で日本は、主要国のなかで、すでにトップクラスに位置する。太陽光発電に適する平地に限定すれば、わが国の面積当たり太陽光導入容量の大きさは、他の主要国と比べて抜きん出たものとなる。このような現象が生じた原因は、２０１２年に導入されたＦＩＴ（Feed-In Tariff：固定価格買取り）制度により、日本でメガソーラーの開発が急速に進んだ点に求めることができる。しかし、図３-３が示唆するように、２０１０年代後半以降、太陽光発電導入に関するＦＩＴ制度の効果は薄れた。

２０２２年には再生エネ由来の電力の売価に一定の「プレミアム（補助額）」を上乗せするＦＩＰ（Feed-In Premium）制度も始まったが、太陽光発電導入量・認定量を大幅に増やすにはいたっていない。また、同じ２０２２年には

図 3-4　国土面積・平地面積当たりの太陽光発電導入容量の国際比較

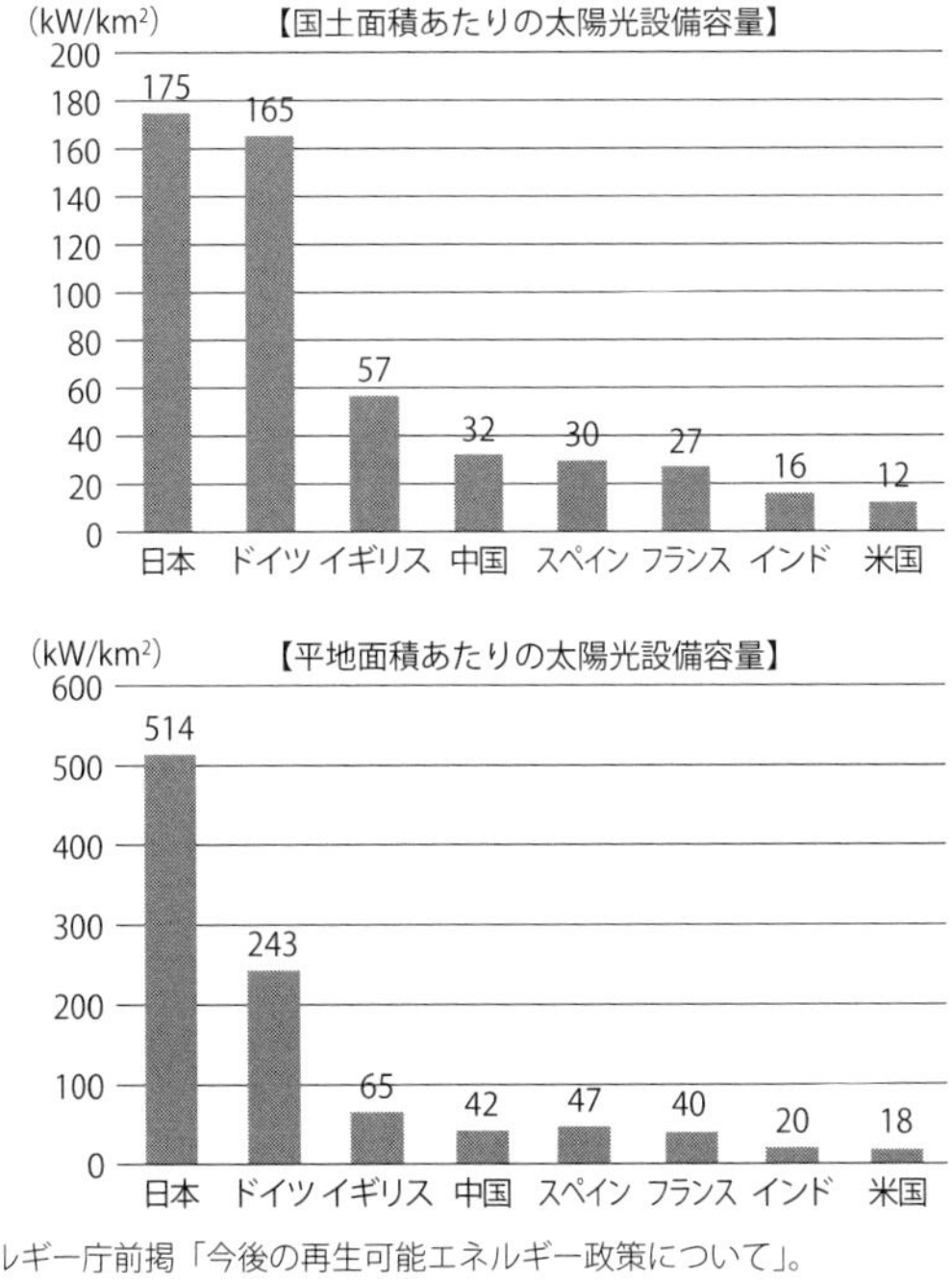


（出所）資源エネルギー庁前掲「今後の再生可能エネルギー政策について」。

ＦＩＴ・ＦＩＰ制度によらない太陽光発電開発も行われたが、その規模は僅少であった。

「再生エネ政策について」は、太陽光発電の導入拡大に向けた必要事項として、以下の６点をあげている。
①適地の確保
導入拡大に向けては、屋根等への設置促進とあわせ、空港・鉄道・荒廃農地等への導入が必要である。
②地域との共生・事業規律の確保
③発電設備の適切な廃棄・リサイクル
多様な事業者等が新規参入するなかで、安全面、防災面、景観や環境への影響、将来の廃棄等に対する地域の懸念が高まってきている。それへの対応が求められる。
④長期安定的な事業継続
ＦＩＴ・ＦＩＰ制度という国民負担をともなう支援により導入された再生エネ発電設備が、卒ＦＩＴ後も含めて長期安定的に事業継続されるよう、再投資が行われる事業環境整備が必要である。
⑤次世代太陽電池の技術開発・社会実装
既存の技術では設置できなかった場所にも導入を進めるため、軽量・柔軟等の特徴を兼ね備え、性能面でも既存電池に匹敵する次世代型太陽電池（ペロブスカイト太陽電池など）の開発が必要である。
⑥新たなビジネスモデルの創出・拡大
ＦＩＴ制度によらないビジネスモデル（ＦＩＰ制度の活用・オンサイトＰＰＡ・オフサイトＰＰＡ）の創出・拡大が必要である（以上、16頁参照）。

なお⑥に登場するＰＰＡとは、Power Purchase Agreement（電力販売契約）のことであり、特定の事業者が太陽光発電設備を設置し、そこで生産した電気を別の特定の法人が買い取って使用するビジネスモデルを意味する。太陽光発電設備を買取側の敷地内に設置すればオンサイトＰＰＡとなり、敷地外に設置すればオフサイトＰＰＡとなる。

## 陸上風力発電

図３-５は、陸上風力発電の２０１９年度末と２０２２年度末における導入実績と、第６次エネルギー基本計画が定めた２０３０年度の電源構成見通しにおける陸上風力発電の導入目標を示したものである。導入実績には、未稼働分も併記されている。

この図からわかるように、２０２０〜２２年度の期間に、わが国では陸上風力発電の導入量が０．９ＧＷしか伸びなかった。この状態から、導入目標を達成するため、２０３０年度までに導入量を12．８ＧＷ増加させることは、きわめて困難である。たしかに２０２２年度末の時点で認定済み未稼働量が



図 3-5　日本における陸上風力発電の導入実績（2019 年度末・2022 年度末）と導入目標（2030 年度）

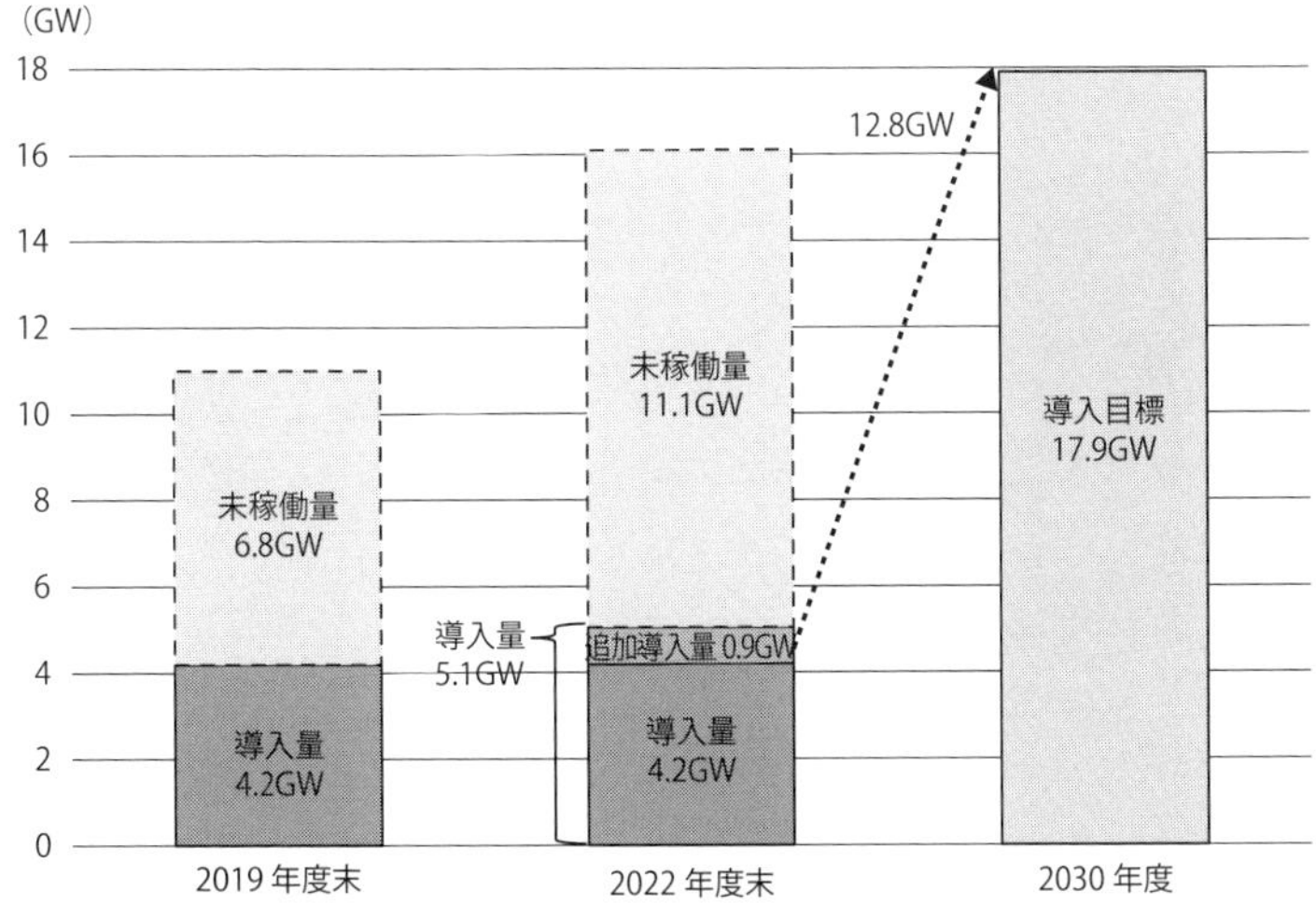


※ 導入量は、FIT 前導入量 2.6GW を含む。
※ 2022 年度末時点における FIT/FIP 認定量及び導入量は速報値。
※ 入札制度における落札案件は落札年度の認定量として計上。

（出所）資源エネルギー庁前掲「今後の再生可能エネルギー政策について」。

11・1GWも存在するが、それらの稼働は、なかなか進展していない。

「再生エネ政策について」は、陸上風力発電の導入拡大に向けた必要事項として、以下の3点をあげている。
①地域共生・社会受容性の確保
風車建設に係る安全面、防災面、景観や環境への影響等に対する地域の懸念が高まっているので、それへの対応が求められる。
②環境アセスメントやウィンドファーム認証等のプロセス円滑化
環境影響評価（環境アセスメント）手続について、より適正な立地への誘導、手続の最適化等を図る必要がある。日本特有の気候（台風等）に合わせたウインドファーム認証に要する期間が長期化しており、手続きの円滑化が必要である。
③立地制約の克服・設備輸送の円滑化
地理的制約の克服（平地面積が少なく、山間部への設置が避けられなくなるなかで、重厚長大なコンポーネントの運搬が困難といった課題への対応）が必要である。

ブレードの大型化により、アクセス道路の確保や、歩道橋・高架等の障害物の回避が必要である（以上、35頁参照）。

## 洋上風力発電

図3-6は、洋上風力発電の2019年度末と2022年度末における導入実績と、第6次エネルギー基本計画が定めた2030年度の電源構成見通しにおける洋上風力発電の導入目標を示したものである。導入実績には、認定済みの未稼働分も併記されている。

この図からわかるように、２０１９年度末に皆無だった洋上風力発電の導入量は、２０２２年度末には微増して、０・１ＧＷとなった。この状態から、導入目標を達成するため、２０３０年度までに導入量を５・６ＧＷも増加させることは、容易なことではない。たしかに洋上風力発電の場合には、２０２２年度末の時点で、ＦＩＴ・ＦＩＰ制度による認定済み未稼働量０・７ＧＷのほかに、公募済み容量１・８ＧＷ（第1ラウンド）や公募中容量１・８ＧＷ（第2ラウンド）も存在するが、通常、洋上風力発電の建設には、着手から運転開始までのリードタイムが少なくとも8年かかると言われる。本書の第２章で言及した三菱商事グループの一括受注が生じたのは２０２１年12月に結果が発表された第1ラウンドのことであり、第２ラウンドが終了するのは２０２３年12月の予定である。公募中容量１・８ＧＷ（第2ラウンド）はもちろんのこと、公募済み容量１・８ＧＷ（第1ラウ

図 3-6　日本における洋上風力発電の導入実績（2019 年度末・2022 年度末）と導入目標（2030 年度）

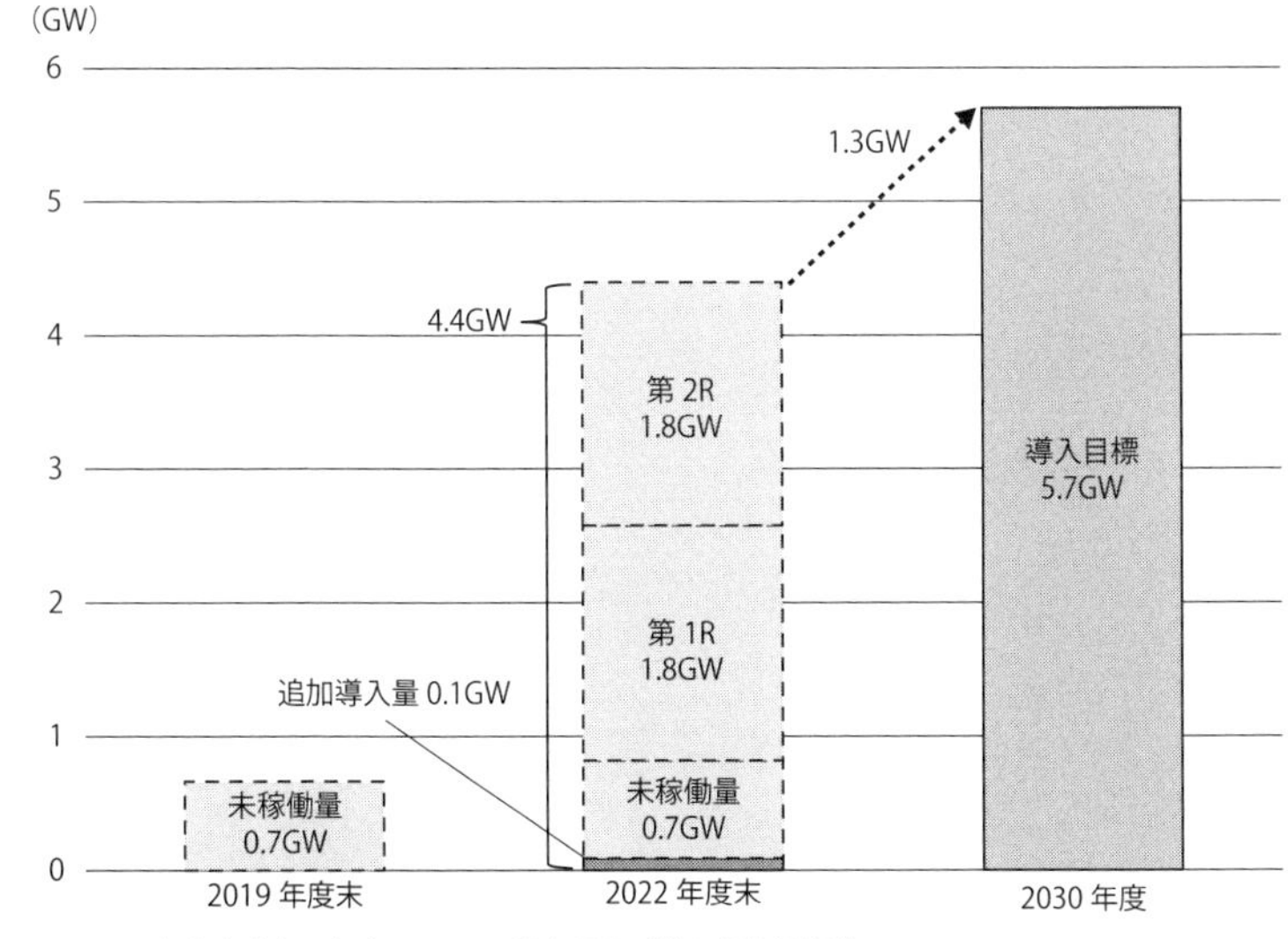


※ 2022 年度末時点における FIT/FIP 認定量及び導入量は速報値。

（出所）資源エネルギー庁前掲「今後の再生可能エネルギー政策について」。
（注）「第 1R」は公募済み容量（第 1 ラウンド）、「第 2R」は公募中容量（第 2 ラウンド）。

ンド）でさえも、完成が2030年度に間に合うか、危ぶまれている。

「再生エネ政策について」は、洋上風力発電の導入拡大に向けた必要事項として、以下の4点をあげている。

①地域共生・社会受容性の確保

②排他的経済水域（EEZ：Exclusive Economic Zone）活用も含めた立地制約の克服

地域と共生した洋上風力発電の導入拡大に向けて、再生エネ海域利用法のスキームを活用した案件形成を進めていくことが必要である。

立地制約の克服に向けては、EEZの活用に向け、制度的課題の検討が必要である。

③洋上風力発電産業のサプライチェーンの形成

風車製造のみならず、基礎製造やO&Mなどを含めサプライチェーン全体で、多くの関連部品がある洋上風力発電産業のサプライチェーンを形成していくことが重要である。

④浮体式洋上風力発電の技術開発

浮体式洋上風力発電について、我が国の強みを活かしながら、台風、落雷等の気象条件やうねり等の海象条件等の観点からアジア市場に適合する技術の開発を進めることが必要である。

今後具体的な目標を設定し、導入拡大をめざす（以上、41頁参照）。

すでに述べたように、洋上風力発電は、岸田政権が再生エネ主力電源化を進めるにあたって、とくに力を入れている分野である。表3-2は、政府が指定した洋上風力発電の「促進区域」、「有望区域」、「準備区域」を、2023年5月12日の時点でまとめたものである。

## 洋上風力発電をめぐるオーステッドとの対話

洋上風力発電を日本で普及させるためには、固有の困難が存在すると考える向きがある。このような考えは、事実にもとづくものであろうか。

この問いに答えを見つけようとしたとき思い出したのが、2018年8月にデンマークのコペンハーゲンでオーステッド（Ørsted）社のスタッフと筆者が交わした対話の内容だ。オーステッドの社名は、2017年まではDONGだった。Dはデンマーク、Oは石油、NGは天然ガスを意味する単語を連ねた社名だったが、

表 3-2　日本における洋上風力発電の「促進区域」「有望区域」「準備区域」（2023 年 5 月 12 日時点）

| 区域名 | | 運転開始年月 | 出力（万 kW） | |
|---|---|---|---|---|
| 促進区域 | ①長崎県五島市沖（浮体） | 2024.01 | 1.7 | 第 1 ラウンド公募事業者選定済 |
| | ②秋田県能代市・三種町・男鹿市沖 | 2028.12 | 49.4 | |
| | ③秋田県由利本荘市沖 | 2030.12 | 84.5 | |
| | ④千葉県銚子市沖 | 2028.09 | 40.3 | |
| | ⑤秋田県八峰町・能代市沖 | | 36 | 第 2 ラウンド公募現在、公募中（2023 年 6 月末迄） |
| | ⑥長崎県西海市江島沖 | | 42 | |
| | ⑦秋田県男鹿市・潟上市・秋田市沖 | | 34 | |
| | ⑧新潟県村上市・胎内市沖 | | 35,70 | |
| 有望区域 | ⑨青森県沖日本海（北側） | | 30 | |
| | ⑩青森県沖日本海（南側） | | 60 | |
| | ⑪山形県遊佐町沖 | | 45 | |
| | ⑫千葉県いすみ市沖 | | 41 | |
| | ⑬千葉県九十九里沖 | | 40 | |
| | ⑭北海道石狩市沖 | | 91 ～ 114 | 新たに「有望な区域」として整理（2023 年 5 月 12 日） |
| | ⑮北海道岩宇・南後志地区沖 | | 56 ～ 71 | |
| | ⑯北海道島牧沖 | | 44 ～ 56 | |
| | ⑰北海道檜山沖 | | 91 ～ 114 | |
| | ⑱北海道松前沖 | | 25 ～ 32 | |
| 準備区域 | ⑲青森県陸奥湾 | ㉒福井県あわら市沖 | | |
| | ⑳岩手県久慈市沖（浮体） | ㉓福岡県響灘沖 | | |
| | ㉑富山県東部沖（着床・浮体） | ㉔佐賀県唐津市沖 | | |

（出所）資源エネルギー庁前掲「今後の再生可能エネルギー政策について」。

事業ドメインを洋上風力発電中心へ大胆に転換したことを受けて、19世紀のデンマークの著名な物理学者ハンス・クリスティアン・オーステッドにちなむ現社名に変更したのである（東京電力や東京ガスが「平賀源内」に社名変更したようなイメージである）。オーステッドは、現在では、洋上風力発電事業の世界最大手となっている。

オーステッドのスタッフは、2018年の時点ですでに日本の事情をよく調べていて、「なぜ日本はもっと積極的に洋上風力発電を進めないのか」と力説した。それに対して筆者は、わが国には四つのボトルネックがあると彼らに反問した。それは、(1)風況が悪い、(2)送電線建設の担い手がいない、(3)漁業補償が高い、(4)遠浅な海岸が少ない、という4点である。

(1)は、地球は自転しており偏西風が常時吹くから西側が海の西欧諸国では「良い風」が得られるが、西側に大陸がある日本では条件が悪いのではないかという懸念を表明したものだった。これに対して、オーステッドのスタッフは、日本の西側には十分広い海（日本海や東シナ海）があるし、東海岸でも経済的に事業が成り立つ地域があると主張した。現にオーステッドは2020年には、「東海岸」に当たる千葉県・銚子沖での洋上風力発電事業に投資することを決め、第1ラウンドの公募に参加した[7]。

(2)について彼らは、筆者の反問の意味がわからない様子だった。もし、日本政府の目標どおり2030～35年に洋上風力の発電コストが8～9円／kWhに下がれば、原子力や石炭火力とも十分に競い合うことができるようになる。しかも、原子力や石炭火力の場合とは対照的に、洋上風力には高い意味的価値がある。2030年代になればむしろ再生可能エネルギー電源の取り合いのような状況が生まれる可能性があり、電力会社をはじめいくつかの有力企業が送電線建設にコミットすることになろうというのが、オーステッドのスタッフの見解であった。

(3)に関して彼らは、事業のオーナーシップのあり方を工夫することが重要だと指摘した。デンマークでも、風力発電が始まった当初には、住民の反対運動がしばしば生じたという。しかし、住民が風力発電事業に出資主体として参加する「市民風車」方式を導入したところ、状況は一変したそうだ。オーステッドのスタッフの経験談を聞いて、漁業従事者の参画を得て「漁民風車」を作ることが有意義であると感じた。

ただし(4)だけは、さすがのオーステッドのスタッフも、「お手上げ」とのことだった。遠浅の海岸が少ないという事実は、浮体式風力発電に比べてコストが安い着床式風力発電の適地が限定されることを意味する。遠浅の海岸の少なさは、太陽光発電事業における適地面積の狭さとともに、日本の再生エネ発電事業にとって克服しがたい地理的制約だと言える。

これらをふまえれば、デンマーク等の西欧諸国と比べたとき、日本の洋上風力発電固有の困難と言えるのは、(4)の遠浅の海が少ないという点に限られる。(1)～(3)の問題は、克服が可能である。とくに(3)にかかわる風力発電の事業主体に住民や漁民が参加するという考え方は、傾聴に値する。

## 地熱発電

図3-7は、地熱発電の2019年度末と2022年度末における導入実績と、第6次エネルギー基本計画が定めた2030年度の電源構成見通しにおける地熱発電の導入目標を示したものである。導入実績には、未稼働分も併記されている。

この図からわかるように、2020～22年度の期間に、わが国では地熱発電の導入量が増えなかった。認定済

7　第2章で述べたように、この応札は、三菱商事グループに敗れて、成功しなかった。

み未稼働量も、2022年度末時点で、わずか0・09GWしか存在しない。この状態から、導入目標を達成するため、2030年度までに導入量を0・9GW増加させることは、きわめて困難である。

「再生エネ政策について」は、地熱発電の導入拡大に向けた必要事項として、以下の4点をあげている。

①初期調査の円滑化

②開発コスト・開発リスクの低減

目に見えない地下資源であり、道路未整備の火山地帯の山中に偏在するので、掘削に係るコストが高い。開発コスト・リスクを減らす必要がある。

掘削等を行うことができる人材不足により、掘削コストの高騰が懸念される。この面での対策も求められる。

図 3-7　日本における地熱発電の導入実績（2019 年度末・2022 年度末）と導入目標（2030 年度）

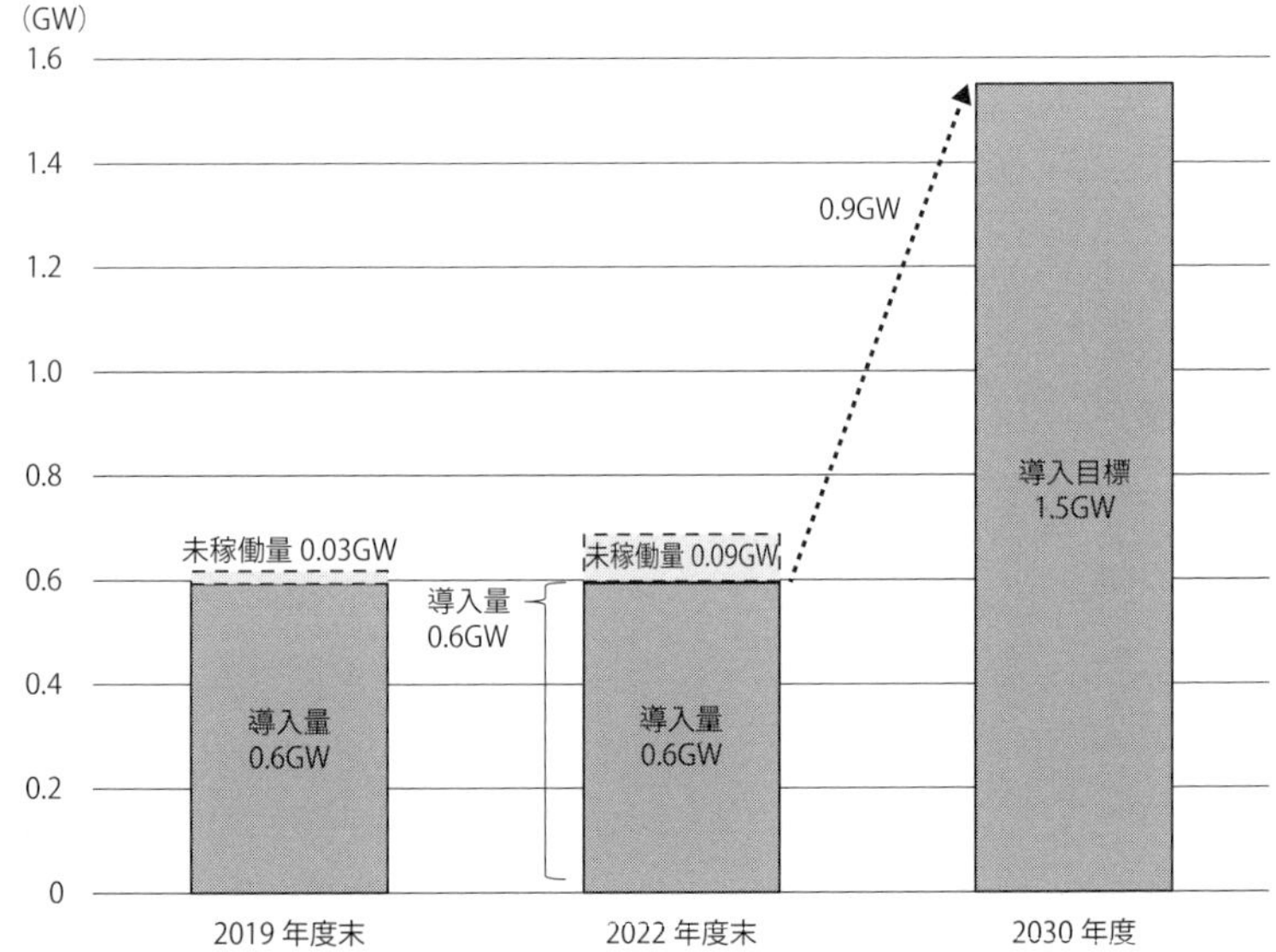


※ 導入量は、FIT 前導入量 0.5GW を含む。
※ 2022 年度末時点における FIT/FIP 認定量及び導入量は速報値。

（出所）資源エネルギー庁前掲「今後の再生可能エネルギー政策について」。

③地元理解の促進

地熱開発に当たっては、開発に不安を有する温泉事業者をはじめとする地域住民等の方々の理解醸成が必要不可欠である。

④革新的な地熱開発（超臨界地熱発電）

2050年カーボンニュートラルの実現を見据え、従来型の地熱発電よりも大規模な発電が可能な革新的超臨界地熱発電の技術開発に取り組むことが必要である（以上、53頁参照）。

## 中小水力発電

水力発電については、長い歴史のなかでほぼ開発しつくされており、伸びしろが小さい。今後、開発の余地があるのは、事実上、中小水力発電に限定される。

図3-8は、中小水力発電の2019年度末と2022年度末における導入実績と、第6次エネルギー基本計画が定めた2030年度の電源構成見通しにおける中小水力発電の導入目標を示したものである。導入実績には、未稼働分も併記されている。

この図からわかるように、2020~22年度の期間に、わが国では中小水力発電の導入量が0・15GW伸びた。この状態から、導入目標を達成するため、2030年度までに導入量を0・5GW増加させることは、不可能ではない。2022年度末の時点で、認定済み未稼働量が0・37GW存在するからである。

「再生エネ政策について」は、中小水力発電の導入拡大に向けた必要事項として、以下の2点をあげている。

①開発期間の長期化・リスク増大への対応

中小水力発電については、残された開発余地が奥地化しているほか、大規模な開発余地が少なくなっており、開発期間が長期化するとともに、開発リスクが増大している。とくに、初期段階での流量調査や測量に関するコストが増大しており、適切な調査実施を促進することにより、新規地点の開発を促進することが必要である。

②既存設備の効率化

既存の水力発電設備は老朽化するものが増加することから、リプレースの機会をとらえた既存設備の最適化・高効率化により、発電電力量（kWh）の増大を図ることが重要である。

また、他目的での利用との調整や、気象条件・流量等をふまえた発電について、デジタル技術を活用した効率化を図ることも重要である（以上、60頁参照）。

図 3-8　日本における中小水力発電の導入実績（2019 年度末・2022 年度末）と導入目標（2030 年度）

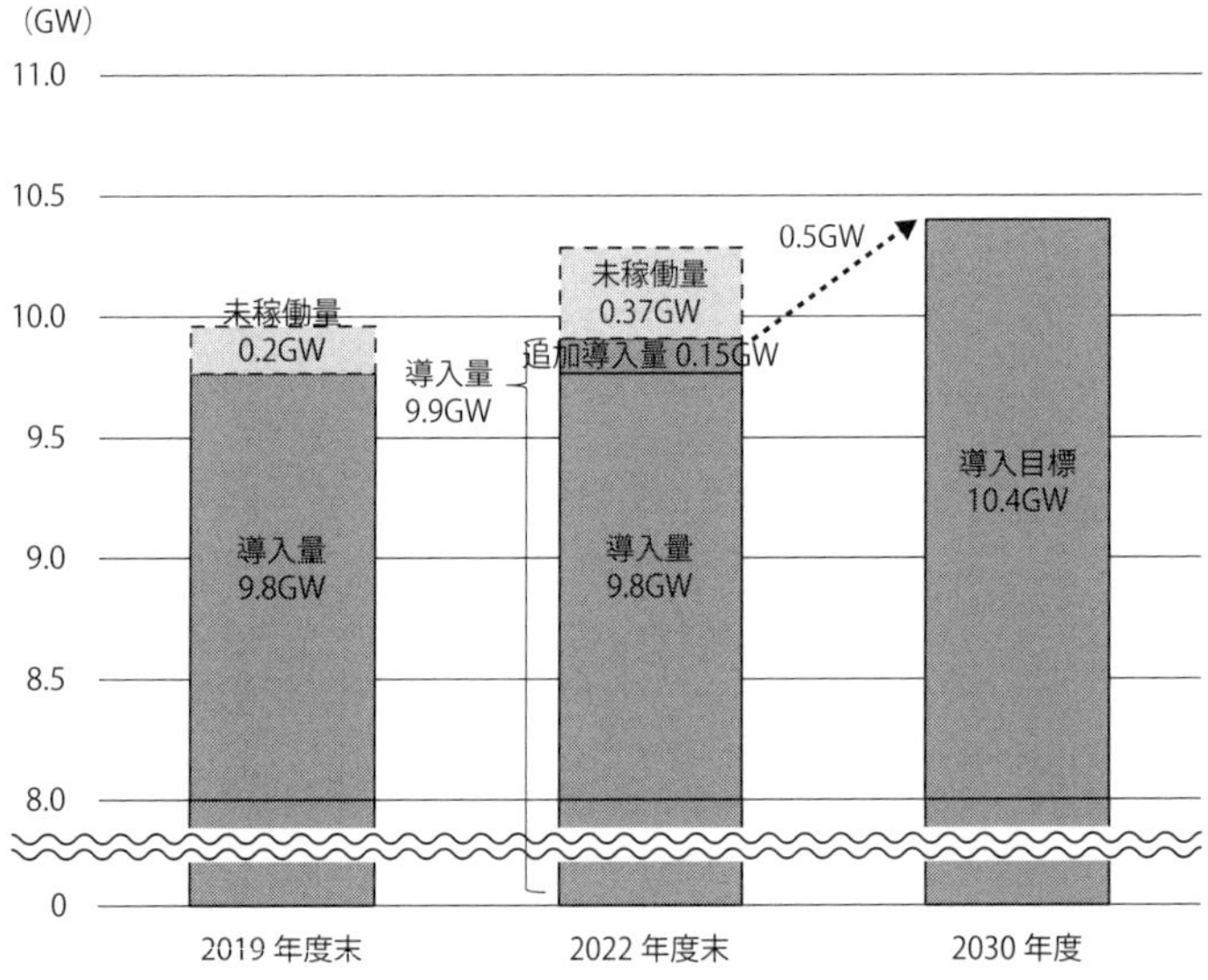


※ 導入量は、FIT 前導入量 9.6GW を含む。
※ 2022 年度末時点における FIT/FIP 認定量及び導入量は速報値。

（出所）資源エネルギー庁前掲「今後の再生可能エネルギー政策について」。

## バイオマス発電

図3‐9は、バイオマス発電の2019年度末と2022年度末における導入実績と、第6次エネルギー基本計画が定めた2030年度の電源構成見通しにおけるバイオマス発電の導入目標を示したものである。導入実績には、未稼働分も併記されている。

この図からわかるように、2020〜22年度の期間に、わが国ではバイオマス発電の導入量が2・4GWも伸びた。この状態から、導入目標を達成するため、2030年度までに導入量を1・1GW増加させることは、十分に可能である。2022年度末の時点で、認定済み未稼働量が3・8GW存在するからである。

「再生エネ政策について」は、バイオマス発電の導入拡大に向けた必要事項として、以下の3点をあげている。

図 3-9 日本におけるバイオマス発電の導入実績（2019 年度末・2022 年度末）と導入目標（2030 年度）

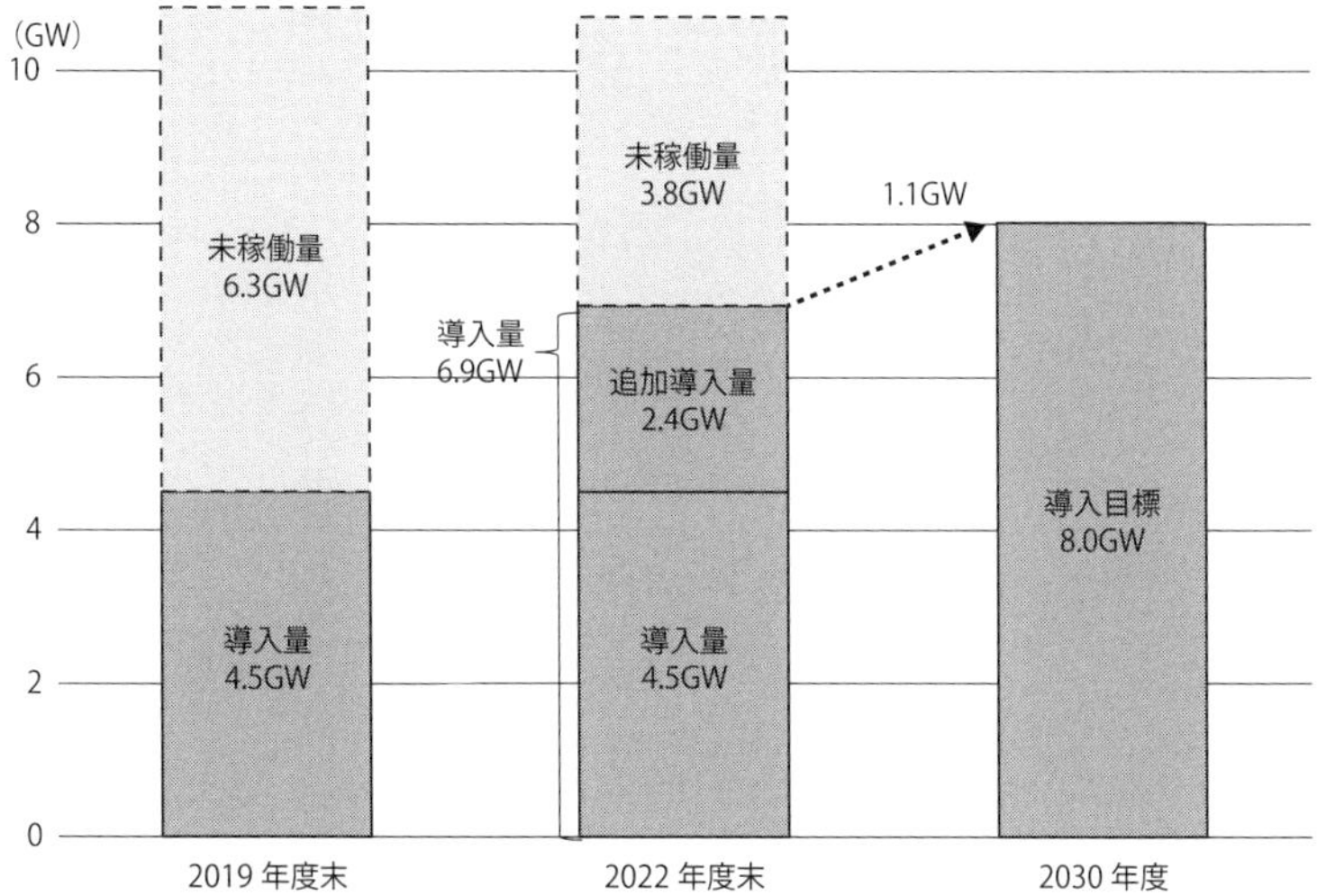


※ 導入量は、FIT 前導入量 2.3GW を含む。
※ 2022 年度末時点における FIT/FIP 認定量及び導入量は速報値。
※ 入札制度における落札案件は落札年度の認定量として計上。

（出所）資源エネルギー庁前掲「今後の再生可能エネルギー政策について」。

①燃料の安定調達・持続可能性の確保
燃料を安定的に調達し、持続的にバイオマス発電事業を継続することが重要である。

木材等のバイオマス燃料については、第三者認証などにより持続可能性の確認された燃料の調達が重要である。
②未利用材や廃棄物の利用促進
未利用材の収集コスト低減・安定調達や、廃棄物を活用したバイオマス発電の利用促進が重要である。
③需給調整が可能な電源としての活用促進
出力を柔軟に変動させることが可能なバイオマス発電の特性を生かした、新たなビジネスモデルの確立が必要である（以上、67頁参照）。

## 三つの問題

「再生エネ政策について」は、日本における再生エネ発電の現状と今後の導入拡大への論点について、ここまで見てきたように電源別に検討したのち、「再生エネ（全電源共通）のさらなる導入に向けた論点」として、以下の3点をあげている。
①地域との共生・事業規律の確保
安全面、防災面、景観や環境への影響、将来の廃棄等に対する地域の懸念が高まってきている。
②市場統合・コスト低減
再生エネの主力電源化に当たっては、その円滑な電力市場への統合が必要である。

国際水準の実現に向けた発電コスト低減とあわせて、社会全体のシステムコスト低減が重要である。

③系統制約の克服・出力制御の低減

再生エネの大量導入に対応するためには、次世代型電力ネットワークへの転換が必要である。とくに太陽光発電の導入拡大に伴い、出力制御量が増加しており、この低減に向けた取組みが必要である（以上、76-77頁参照）。

つまり、「再生エネ政策について」は、再生エネ発電の導入拡大に取り組むにあたっては、①地域との共生、②コストの低減、③系統制約の克服、という三つの問題が存在することを指摘しているのである。そして、これらの問題を克服するために、①については再生エネ特措法（再生可能エネルギー電気の利用の促進に関する特別措置法）の運用厳格化などによる事業規律の強化を、②についてはFIT／FIP制度による価格目標の達成や入札制の活用、FIP制度の促進、オフサイトPPAの拡大を、③については系統の計画的整備やノンファーム型接続の拡充、出力制御低減のための具体策の実施を、それぞれ提唱している（以上、76-77頁参照）。

なお、既述のとおり、ここで言うFIT（Feed-In Tariff）制度とは、再生エネの固定価格買取制度のことである。また、FIP（Feed-In Premium）制度とは、市場価格に一定のプレミアムを上乗せした形で再生エネを買い取る制度を意味する。さらに、ノンファーム型接続とは、系統の容量に空きがあるときにそれを活用するため、系統の容量に空きがなくなった場合には発電量の「出力制御」を行うことを前提に、系統接続を認める方式である。ノンファーム型接続は、系統接続の可能性を拡大し、再生エネ発電の活用につながる効果を発揮している。

## 抜け落ちた視点：事業主体への住民・当事者の参加

再生可能エネルギー発電拡大の障害となる三つの問題に対して、「再生エネ政策について」が打ち出した一連の克服策は、いずれも有意義なものである。本書の第2章で述べたように、洋上風力に関する三菱商事グループの「価格破壊」もあって、②のコストの低減については、すでにある程度の進展が見られる。③の系統制約の克服についても、同じく第2章で言及したように、「GX実現に向けた基本方針」が、次世代ネットワークの形成を最重点項目の一つとして位置づけている。

ただし、より大きな見地に立つと、「再生エネ政策について」が掲げる施策には、重要な視点が抜け落ちていることに気づく。

抜け落ちているのは、地元の住民や当事者が再生可能エネルギー事業を担う主体として参加するという視点である。[8]「再生エネ政策について」は、①の地域との共生を推進するために、「事業規律の強化」を打ち出している。しかし、それだけでは、決定的に不十分である。再生エネ事業を担う主体の構成にまで踏み込まなければ、問題は根本的には解決しないのである。

ここで想起する必要があるのは、先に紹介したように、当初、住民の反対運動に遭遇したデンマークのオーステッドが、風力発電事業に住民が出資主体として参加する「市民風車」方式を導入したところ、状況が一変したという逸話である。

日本では、再生エネ事業を担う主体となっているのは、地元の住民からすれば「よそ者」にあたる遠隔地の大企業である場合が多い。事業主体に住民や当事者が参加する事例は、例外的である。

このような現状を打破して、再生エネ事業の主体を固有の株式会社にし、その株式の一定部分を地元の住民や当事者に配分すれば、「状況が一変」する。事業主体への住民・当事者の参加は、地元に経済的効果をもたらすだけではない。住民・当事者が参画することによって事前から情報のやりとりがきちんと行われるようになり、崖崩れが起きやすい場所へのメガソーラーの設置、景観を損ねたり鳥の通路を邪魔したりする場所への陸上風力の建設、漁場に否定的な影響が出る海域への洋上風力の設置などの事態が回避できるようになるのである。

温泉業者の反対によって普及が進展しない地熱発電に関しても、この方式は、有効であろう。温泉業者が地熱発電の事業主体に加わることによって、温泉業と地熱発電との共生が可能となるからである。

「市民風車」や「漁民風車」は、ヨーロッパでは広く見受けられる。しかし、日本では、ほとんど存在しない。もし、事業主体への住民・当事者の参加が進めば、再生エネ発電拡大の障害となっている地元とのトラブルの問題は、解決に向かって大きく前進することだろう。[9]

8　この視点のほかにも、「今後の再生可能エネルギー政策について」（資源エネルギー庁、2023b）には、抜け落ちている視点がある。それは、「セクターカップリング」の視点に立って、再生可能エネルギーを電源としても熱源としても活用し、全体としてのコストを低減するという方法である。この点について詳しくは、橘川（2020：55-59頁）および本書の第7章参照。

9　事業主体への住民参加は、アメリカにおけるシェールガスの開発でも、大きな効果をあげている。住民の生活圏近くに立地するシェールガス田では、この方式が、広く取り入れられている。

第4章 原子力発電をどうするか 既設炉運転延長で遠のく革新炉建設

## 「GX実現に向けた基本方針」と原子力

前掲の表2-4で見たように、2023年2月に閣議決定された「GX（グリーントランスフォーメーション）の実現に向けた基本方針」は、「原子力の活用」を重点施策の一つに掲げた。そして、経済産業省「GX実現に向けた基本方針の概要」（経済産業省、2023a）は、次のような諸点に下線を引いて、とくに重視する姿勢を示していた。

＊厳格な安全審査を前提に、40年＋20年の運転期間制限を設けた上で、一定の停止期間に限り、追加的な延長を認める。

＊核燃料サイクル推進、廃炉の着実かつ効率的な実現に向けた知見の共有や資金確保等の仕組みの整備。

＊最終処分の実現に向けた国主導での国民理解の促進や自治体等への主体的な働き掛けの抜本強化。

このほか、「GX実現に向けた基本方針の概要」は、原子力の活用に関して、下線は引いていないものの、以下のようにも記している。

◯安全性の確保を大前提に、廃炉を決定した原発の敷地内での次世代革新炉の建て替えを具体化する。その他の開発・建設は、各地域における再稼働状況や理解確保等の進展等、今後の状況を踏まえて検討していく。

つまり、岸田文雄政権は、◯と一つ目の＊からわかるように、原子力の今後について、次世代革新炉の開発・建設と、既存原子炉の運転期間延長との両方を、同時に打ち出したことになる。また、二つ目と三つ目の＊が示すように、使用済み核燃料の処理問題（バックエンド問題）の解決に力を入れることも強調したのである。

この章では、これらの事情を考慮に入れて、まず、次世代革新炉の開発・建設と既存原子炉の運転期間延長との関係について、目を向ける。そののち、バックエンド問題の解決方向についても、掘り下げる。

## 原子力政策の「大転換」？

「GX実現に向けた基本方針」の閣議決定より2カ月早い2022年12月、同方針について審議していたGX実行会議において岸田首相は、原子力発電所（原発）の運転期間に関して、「原則40年、延長は1回に限り最長20年」という現行の枠組みを維持しつつも、原子力規制委員会による審査や裁判所による仮処分命令などで運転を停止した期間を計算から除外し、その分を追加的に延長できるようにする新方針を打ち出した。その結果、日本の既設の原子炉は、実質的には、従来の上限だった60年を超えて運転期間を最大で約10年延長することができるようになった。この新方針を盛り込んだGX脱炭素電源法案は、第211回国会に提出され、2023年5月31日に可決、成立した。

これらの動きの発端となったのは、2022年8月のGX実行会議で、岸田首相と西村康稔経済産業相（当時）が行った原子力に関する発言である。そこで岸田政権が、原子力政策遅滞の解消に向けて2022年末までに政治決断が求められる項目としてあげたのは、⑴次世代革新炉の開発・建設と、⑵運転期間の延長を含む既設原発の最大限活用、との2点であった。

このうちとくに⑴について、一部のメディアは、「原子力政策を転換したもの」ととらえ、大々的に報道した。政府が、「原発のリプレース・新増設はしない」というそれまでの方針を転換して、次世代革新炉の建設に踏み込んだものと理解したのである。

しかし、本当にそうなのだろうか。

結論から言えば、現時点で、「政策転換」と判断するのは時期尚早だと考える。そう考える根拠としては、

第1に、誰（どの事業者）が、どこ（どの立地）で、何（どの炉型の革新炉）を建設するのかについて、まったく言及がない、

第2に、肝心の電気事業者の反応が冷ややかで、国内での次世代革新炉の建設について、具体的な動きを示していない、

という2点をあげることができる。

## 既設炉運転延長先行で遠のく次世代革新炉建設

そもそも、⑴次世代革新炉の開発・建設と⑵既設原発の運転期間延長とのあいだには、一種の論理矛盾がある。新しい炉を作るならば古い炉はいらないし、古い炉が運転延長できるならば新しい炉は不要だからである。

唯一、矛盾せずに論理が成り立つのは、新しい炉を作るが、それには時間がかかるので、それまでの期間は古い炉の運転延長でつなぐ、という言い方をした場合だけである。この場合も、大前提として、新しい炉を作ることを

明確にしなければならない訳である。

しかし、岸田政権は、政治決断の期限とした2022年末に具体的な形で方針を示したのは、(2)の既設原発の運転期間延長だけであった。

対照的に(1)の次世代革新炉の建設については、具体的な政治決断はなされなかった。建設が行われる場合、立地地点が美浜ないし敦賀になることは関係者の間では周知の事柄であるが、岸田政権は、美浜の「み」の字も、敦賀の「つ」の字も、語ることはなかったのである。

電気事業者から見れば、次世代革新炉の建設は1兆円オーダーのコストがかかる。一方、既設炉の運転延長は、どんなに高く見積もっても、二桁小さい費用（数百億円）で済む。しかも、やがては、延長繰入れ可能期間が福島事故以前の時期にまで遡及され、約80年間に及ぶ原子炉運転が可能になるだろう。「原子力規制委員会による審査や裁判所による仮処分命令などで運転を停止した期間を計算から除外する」という論理は、簡単に東京電力・福島第一原子力発電所事故以前の10年間にも適用することが可能で、「原子力安全・保安院による審査や裁判所による仮処分命令などで運転を停止した期間を計算から除外する」と言いうるからである。

このように既設炉の運転延長ができるのであれば、電気事業者がわざわざ高いコストをかけて、次世代革新炉を建設するはずはない。2022年末の岸田政権による運転期間延長方針の決定は、皮肉なことに、革新炉建設を遠のかせる逆機能を発揮するのである。

## 最悪のシナリオの進行

これは、ゆゆしき事態である。表4-1からわかるように、日本には33基の原子炉が現存するが、その過半数の

17基は、運転開始から30年以上経過した「延長待機組」である。これらを運転延長することができれば、電気事業者は、わざわざ1兆円規模の高いコストをかけて、次世代革新炉を建設する必要はないと考えるだろう。最近になっても、次世代革新炉の建設に電気事業者が冷ややかな姿勢をとり続けていることは、その証左と言える。

今、わが国では、原発の危険性を縮小することに逆行する筋の悪い既設原発運転延長論が幅を利かし、本来あるべき次世代革新炉の建設が後景に退くという、最悪のシナリオが進行しつつある。

## 熱くなった重電メーカー、冷めたままの電力会社

2022年8月に岸田首相が次世代革新炉の開発・建設を検討対象とする方針を表明した際、われわれは不思議な光景を目撃した。本来ならば、熱烈歓迎の姿勢を示すはずの電力会社の反応がきわめて冷ややかで、事実上の「スルー」状態だったのである。

次世代革新炉の建設と既存炉の運転期間延長を同時に打ち出した岸田政権の動きに対して、電力会社は、「既存炉の運転期間延長」に熱く反応し、「次世代革新炉の建設」にはほとんど反応しなかった。次世代革新炉に関して、今もって、誰（どの事業者）が、どこ（どの立地）で、何（どの炉型



表 4-1　日本の既設商業用原子炉の現状と運転開始からの経過年数

| 2023 年 9 月末の状況／運転開始後の経過年数 | 30 年以内 | 30 年超 40 年以内 | 40 年超 | 基数 |
|---|---|---|---|---|
| (A) 再稼働済み | 大飯 4、伊方 3、玄海 3・4 | 大飯 3、高浜 3・4、川内 1・2 | 美浜 3、高浜 1・2 | 12 |
| (B) 許可済み未稼働 | 女川 2、柏崎刈羽 6・7 | 島根 2 | 東海第二 | 5 |
| (C) 未許可未稼働 | 泊 3、東通（東北電力）、浜岡 4、志賀 2 | 泊 1・2、浜岡 3、敦賀 2 | | 8 |
| (D) 未申請未稼働 | 女川 3、柏崎刈羽 3・4、浜岡 5、志賀 1 | 柏崎刈羽 1・2・5 | | 8 |
| 基　数 | 16 | 13 | 4 | 33 |

（出所）筆者作成。
（注）1. 発電所名の右の数値は号機名を意味する。
2.「許可」は、原子力規制委員会による原子炉設置変更許可をさす。
3. 下線は加圧水型軽水炉。他は、沸騰水型軽水炉。
4. 建設中の 3 基（大間、東通［東京電力］、島根 3）は、運転開始時点が不明のため、除外してある。

の革新炉）を建設するのか、具体案がまったく明らかにならないのは、このような電力会社の姿勢の必然的帰結である。

一方、重電メーカーは、2022年8月の岸田政権の方針表明に、熱く反応した。ただし、これら重電メーカーがおしなべて力を入れているのは、小型モジュール炉（SMR）の開発である。SMRは世界的には将来有望な原子炉であるが、日本での建設には適さない。つまり、重電メーカーが主眼をおいているのは、SMRの海外での建設であって、国内での建設ではないのである。[10]

## 次世代革新炉建設の意義

依存度の大小にかかわらず原子力発電を使うのであれば、危険性の最小化が大前提となる。そのためには、古い炉よりも新しい炉の方が良いことは、論を俟たない。その意味で、次世代革新炉の建設には、危険性を下げるというメリットがある。

次世代革新炉は、現在使われている軽水炉の最新鋭型（次世代軽水炉）、近い将来実用化される新型炉、実用化はまだ先になる核融合に分かれる。その中で、最近、国際的に注目を集めているのは、新型炉の一種である小型モジュール炉（SMR）である。

SMRは、従来の原子炉より小型で建設費を抑え、工期を短くすることができる。送電インフラが十分ではない地域でも発電できるという特徴もある。送電網が整っていない発展途上国を中心に、世界的には最も有望な新型炉

10　この点では、三菱重工業が、2022年9月に次世代軽水炉SRZ1200の開発に乗り出すと表明したことが注目される（三菱重工業、2022）。しかし、2023年9月時点で、このSRZ1200を日本国内に建設する具体的なプランは、示されていない。

と言えるだろう。

しかし、わが国では、事情が異なる。今日の日本においては、原発の新規立地はきわめて困難なので、現実には、次世代革新炉の建設は既設原発と同じ敷地内で行われる。そうであるならば、小型のSMRを建設するより、大型の次世代軽水炉を建てた方が、スケールメリットが働き、経済性が高い。こと日本に限っては、SMRは、将来を担うインパクトに欠けるのである。

代わりに日本の将来を担いうる次世代革新炉は、大型の次世代軽水炉と、SMRとは異なるタイプの新型炉である高温ガス炉であろう。[11]

日本の原子力発電所設備は、最新鋭であるとはとても言えない。それでも現存する33基の半分強（17基）を占める沸騰水型原子炉については最新鋭のABWR（改良型沸騰水型軽水炉）が4基存在する（東京電力・柏崎刈羽6・7号機、中部電力・浜岡5号機、北陸電力・志賀2号機）。しかし、残りの半分弱（16基）の加圧水型原子炉については最新鋭のAPWR（改良型加圧水型軽水炉）やAP1000が皆無である。このような状況を改善するためには、とくに古くて小さい加圧水型原子炉を新しくて大きい次世代軽水炉にリプレース（建て替え）することが、重要な意味をもつ。

新型炉のなかでは、高温ガス炉に期待したい。電力だけでなく、900℃以上の熱を利用して水素を生産することができるからである。水素は、日本のカーボンニュートラル戦略の帰趨を決するキーテクノロジーであるが、製造コストが高い点に問題がある。コスト高の最大の要因は、再生可能エネルギーを使って生産するグリーン電力の価格が高いことにある。そこで、コストを下げるために、現在進行中の水素プロジェクトの大半は、グリーン電力の料金が日本より安い海外での生産を予定している。しかし、それでは水素を輸入することになり、わが国のアキレス腱であるエネルギー自給率の低さを解消することにはならない。もし、高温ガス炉が国内に建設されれば、低コストで大量の水素を生産することに道を拓く。カーボンフリー水素の国産化の展望が開けるのである。

## 「副次電源」としてリプレースと依存度低減を同時に追求する

原子力政策において「次世代革新炉の建設」を行うことには意味がある。原発の危険性を縮小するからである。依存度の高低にかかわらず原子力を電源として使うのであれば、危険性を最小化することが絶対的な前提条件となる。そのためには、古い炉ではなく新しい炉を使う方が良いことは、論を俟たない。

ただし、ここでは、二つの点に留意すべきである。

一つは、今日の日本においては、原発の新規立地はきわめて困難なので、現実には次世代革新炉の建設は既設原発と同じ敷地内で行われる点である。もう一つは、次世代炉を建設することは、必ずしも「原発を増やす」ことを意味しない点である。次世代革新炉建設の本質的な価値は危険性の縮小にあるのだから、建設を進めるに際しては、並行して、より危険性が大きい古い原子炉を積極的にたたむべきである。つまり、既設原発と同じ敷地内で行われる次世代炉の建設は、古い炉を廃止して新しい炉に建て替える「リプレース」として行われるべきであり、「新増設」という表現ではなく「リプレース」という言葉を使うべきだということになる。

---

11　新型革新炉としては、小型モジュール炉や高温ガス炉のほかにも、ナトリウム高速炉がある。ナトリウム高速炉は、バックエンド問題の解決に道を拓く可能性がある点にメリットがあるが、日本は、政治的判断で、ナトリウム高速炉の一種である「もんじゅ」を２０１６年12月、廃炉にしたばかりである。政策の一貫性の観点から見て、わが国におけるナトリウム高速炉の復活は困難である。

さらに、次世代革新炉には、「未来の夢の技術」と呼ばれる核融合炉が含まれる。核融合は、高レベル核廃棄物を出さない画期的技術であるが、その実用化は、カーボンニュートラル達成後の21世紀後半のことになるだろう。

日本は、第5次エネルギー基本計画を閣議決定した2018年を転機にして、「再生可能エネルギー主力電源化」の方向に舵を切った。「再生可能エネルギー主力電源化」は、「原子力副次電源化」と同義である。これらの事情をふまえるならば、わが国の原子力政策の主眼は、古い炉を新しい炉に建て替える「リプレース」を進めながら、原発依存度を徐々に低下させることに置かれるべきなのである。

## ハシゴを外される資源エネルギー庁

2011年の東京電力・福島第一原子力発電所事故直後の海江田万里経産相主宰の「エネルギー政策賢人会議」(なんという愚称!)から、最近(2023年5月時点)の西村康稔経産相主宰の総合資源エネルギー調査会基本政策分科会まで、国のエネルギー基本計画を決める重要審議会に筆者(橘川)は、一貫して参加してきた。その間、第4・5・6次のエネルギー基本計画、2015年策定のエネルギー需給長期見通しに対して4度にわたり反対票を投じながら、委員を続けることになったのには理由がある。確かに、いわゆる「ガス抜き委員」[12]としての役目も割り当てられたのだろう。しかし、それ以上に、筆者が、圧倒的多数を占める原発推進派委員よりも早い時期から、より具体的な形で、原発のリプレースの必要性を主張してきたことが関係していると考える。

この12年間、審議会の事務局をつとめる資源エネルギー庁(エネ庁)の担当官とは、いろいろ意見が違うこともあったが、原発リプレースを実現するという点では、同じ意見を共有してきたつもりである。福島事故後の早い時期から、将来のエネルギーのあり方全体を視野に入れてエネ庁は、原発リプレースを実現しようと尽力してきた。しかし、その努力は、選挙への影響を気にする首相官邸の圧力によって、ことごとく水泡に帰することになった。

その閉塞状況を打破するかのように、2022年8月、突然「チャンス」が訪れた。GX実行会議後の記者会見で岸田文雄政権が、原子力政策遅滞の解消に向け、⑴次世代革新炉の開発・建設、⑵運転期間の延長を含む既設原発の最大限活用の2点について、年末までに政治決断を下すと表明したのである。このうち⑴は、原発リプレースと重なる内容であった。

ところが、結局、2022年末までに政治決断されたのは、⑵の既設炉の運転期間延長だけであった。対照的に⑴の次世代革新炉の建設については、具体的な政治決断はなされなかった。

既述のように、電気事業者から見れば、次世代革新炉の建設は1兆円オーダーのコストがかかる。一方、既設炉の運転延長は、二桁小さい費用で済む。しかも、やがては、延長繰入れ可能期間が福島事故以前の時期にまで遡及され、2011年3月以前に原子力安全・保安院や裁判所が運転を停止していた期間を含め、約80年間に及ぶ原子炉運転が可能になるだろう。このように既設炉の運転延長ができるのであれば、電気事業者がわざわざ高いコストをかけて、次世代革新炉を建設するはずはない。2022年末の岸田政権による運転期間延長方針の決定は、皮肉なことに、革新炉建設を遠のかせる逆機能を発揮するのである。

エネ庁は今も、本気で革新炉建設による原発リプレースを進めようとしている。そのためのさまざまな制度設計にも取り組んでいる。しかし、首相官邸と電気事業者は、原発リプレースを事実上回避し、既設炉の運転延長でお茶を濁そうとしている。エネ庁は、ハシゴを外されつつある。これまで漂流を続けてきた日本の原子力政策は、そこから脱却することなく、さらなる深淵にはまろうとしている。

12 「ガス抜き委員」とは、審議会において、政府に批判的な意見を述べることで、審議会の構成が公平さを保っているかのような印象を与える役割をはたす委員のことである。

## 原子力推進派委員による「ひいきの引き倒し」



ここで一連の審議会において、圧倒的多数を占めた原子力推進派委員の動向に言及しておこう。そこには、「ひいきのひき倒し」と呼ぶべき、興味深い現象が観察されたのである。

２０１４年４月に策定された第４次エネルギー基本計画（閣議決定、２０１４）は、２０１１年３月の東京電力・福島第一原子力発電所事故後初めての電源ミックス（電源構成見通し）の策定をめざしたが、はたせなかった。ようやく、１年後の２０１５年７月になって、30年度の電源構成を「原子力20～22％、再生可能エネルギー（再生エネ）22～24％、ＬＮＧ（液化天然ガス）火力27％、石炭火力26％、石油火力３％」とする電源ミックスが、政府決定された（経済産業省、２０１５）。

この第４次エネルギー基本計画と電源ミックスをめぐる審議過程で、圧倒的多数を占める原子力推進派委員たちは、原発のリプレース・新増設を口にすることはなかった。原子力復権をめざす彼らの当時の目標は電源ミックスにおける原子力比率を20％台に乗せることにあり、原発のリプレース・新増設については、「ほとぼりが冷めるまで持ち出さない方が得策だ」と考えたのである。

一方、筆者は、原子力比率が過多で再生エネ比率が過少であるとの理由で、２０１５年策定の電源ミックスに反対した。ただし、そこにいたる審議過程では、原発リプレースを強く主張した。原子力発電を何％であれ使い続けるのであれば、危険性の最小化が大前提となる。そのためには、古い炉よりも新しい炉の方が良いことは、論を俟たない。今後の原子力政策のあり方としては、新しい炉に建て替えるリプレースを進めながら、古い炉を積極的にたたんで、全体として原発依存度を下げていくべきだと考えるからである。

このような事情をふまえて筆者は、『電気新聞』2015年8月27日付の「ウエーブ」欄に、「ひいきの引き倒し」と題する一文を寄せた。そこで問題にしたのは、本来の主張である原発のリプレース・新増設を堂々と語ることなく、目先の「原子力20％台乗せ」が実現したことをもって原子力復権が果たされたかのように振る舞う原子力推進派委員たちの姿勢である。それは、結果として原発リプレースを遠のかせるものであり、原子力の未来を閉ざすことになる。「ひいきの引き倒し」にほかならないと、論じたのである。

その後、第5次エネルギー基本計画の審議過程から、原子力推進派委員たちは、原発のリプレース・新増設を口にするようになった。ところが、2018年7月策定の第5次エネルギー基本計画（閣議決定、2018）においても、2021年10月策定の第6次エネルギー基本計画（閣議決定、2021）においても、選挙への影響を重視した政府は、「原発のリプレース・新増設はしない」という方針を崩さなかった。ここで、政府と原子力推進派委員たちとの間には、矛盾が生じることになった。にもかかわらず、リプレース・新増設を語るようになった原子力推進派委員たちは、結局、リプレース・新増設を語らない政府原案を支持して、第5次エネルギー基本計画にも第6次エネルギー基本計画にも賛成票を投じたのである。

原子力推進派委員たちの「混乱」は、現在も続いている。岸田文雄政権は、原子力に関して、既設炉の運転延長を次世代革新炉の建設より先に具体化する方針を打ち出した。電気事業者から見れば、相対的に低コストの運転延長ができるのであれば、莫大なコストがかかる革新炉建設に取り組むはずがない。にもかかわらず、審議会の場で原子力推進派委員たちは、「既設炉の運転延長と次世代革新炉の建設とは矛盾しない」という政府側の説明をおうむ返しにしている。「ひいきの引き倒し」ＰａｒｔⅡが進行中なのである。

## 原子力政策のウエートの引き下げ

ここまで見てきたように、2011年以降の日本では、原子力に関する政府の無作為が顕著であった。ここで言う「無作為」とは、戦略も司令塔も不在である状況をさす。[13]

政治家にとって、原子力は厄介なしろものである。国論が二分している状況のもとで、選挙の際に、強く推進を表明しても強く反対を主張しても、いずれも票を減らす可能性が高い。政治家からみれば選挙時にはなるべく原子力に触れないでおくのが「得策」なのであり、その結果、問題はどんどん先送りされる。改革は行われず、原子力政策は漂流したままとなるのである。

官僚、とくに所管官庁である経済産業省資源エネルギー庁の官僚のなかには、きちんとした原子力政策を進めたいと考える人々が、もちろん存在する。しかし、彼らも、選挙を気にする政治家（とくに首相官邸）の意向を忖度せざるをえない。次のポストにかかわるからである。こうして、官僚もまた、原子力政策の漂流にのみ込まれてゆく。

例えば、2022年8～12月の局面でも、資源エネルギー庁は、本気で次世代革新炉の建設を志向した。しかし、岸田文雄政権が2022年末までに政治決断したのは既設炉の運転期間延長だけであり、次世代革新炉の建設については具体的な方針を示すことはなかった。既設炉の運転延長ができるのであれば、電気事業者がわざわざ高いコストをかけて、次世代革新炉を建設するはずはない。2022年末の岸田政権による運転期間延長方針の決定は、皮肉なことに、革新炉建設を遠のかせる逆機能を発揮する。資源エネルギー庁は、「はしごを外された」格好になったのである。

それでは、日本のエネルギー政策は、このような閉塞状況からどのようにして脱却すれば良いのだろうか。この問いに対する答えは、それほど複雑ではない。

エネルギー政策の基軸を、原子力から再生可能エネルギーへ本格的に移行すれば良いのである。それは、「原発脳」から「再エネ脳」への転換と、表現することもできる。2018年に第5次エネルギー基本計画を策定したときに、わが国は、再生可能エネルギーを主力電源化する方向へ舵を切った（閣議決定、2018）。この方向性を徹底すべきなのである。

ロシアのウクライナ侵略がもたらした電力危機に直面して、主として原子力で対応しようとする政府の方針は、新しい方向性と齟齬をきたしている。本来は、電力危機の打開策として再生可能エネルギー電源の拡充をいかに急ぐべきかという点が、もっと真剣に論じられてしかるべきなのである。

「再生可能エネルギー主力電源化」とはつまり、「原子力副次電源化」のことである。あまり肩肘を張らずに、エネルギー政策全体に占める原子力政策のウエートを引き下げるべきである。そうすれば、日本のエネルギー政策は、閉塞状況から脱却し、再生への道を歩み始めるだろう。

## なぜ、2022年8月だったのか

ところで、岸田政権はなぜ2022年8月に、原子力政策に関して、一歩踏み込んだ姿勢を示したのだろうか。その背景を確認しておこう。

確かに、2022年7月の参議院議員選挙で与党が勝利し、その後3年間にわたって、衆議院解散等がない限り

13 この点について詳しくは、橘川（2020）第3章参照。

総選挙や参議院議員選挙がないという、いわゆる「黄金の3年」が続くという事情も影響していたであろう。しかし、それ以上に、2022年8月の早稲田大学と読売新聞の共同世論調査で、2011年3月の東京電力・福島第一原子力発電所事故以降初めて、原発の再稼働賛成が再稼働反対を上回った（読売新聞オンライン、2022）事実が関連していたとみなすべきである。

このように世論が変化したのは、ウクライナ戦争によってエネルギーをめぐる状況が不安定化し、電力危機が生じるおそれが高まったため、より多くの国民が「原発再稼働もやむなし」と考えるようになったからである。岸田政権は、この変化に機敏に反応して、原子力政策に関し一歩踏み込んだ発言をしたわけである。

ただし、冷静に考えると、おかしなことに気がつく。岸田政権が検討対象としてあげた⑴次世代革新炉の建設、⑵既設原発の運転期間延長のいずれもが、10年先、20年先の事柄であり、直面する2023～24年の電力危機の解決策とはならないからである。

岸田政権は、この点について批判されることを見込んで、2022年8月に⑴⑵に言及した際に、同時に、⑶原子力規制委員会が許可を与えながら再稼働にいたっていなかった7基の原子炉（前掲の表4-1の「(B)許可済み未稼働」に分類される5基に、2023年7、9月に再稼働した高浜1・2号機を加えた7基）を、2023年中に再稼動させる方針も打ち出した。この⑶の「公約」は守られたのだろうか。

残念ながら、答えは「否」である。2023年から2024年にかけて懸念される電力危機への対応に関しても、政府の無作為は繰り返されている。

## 許可済み未稼働の7基のゆくえ

電力危機への対策として、政府が特に力を入れてきたのは、原子力発電の活用である。岸田首相は、2022年7月に、2023年1～2月の電力不足を乗り切るために、9基の原発を動かすと宣言した。そして前述したように、その1カ月後の2022年8月には、原子力規制委員会の許可（原子炉設置変更許可済み）をえながら再稼働をはたしていなかった7基の原子炉について、2023年夏・冬（2023年12月～2024年2月）以降の再稼働を実現するとの方針を表明したのである。

まず、首相が2022年7月に動かすと宣言した9基について言えば、それらは、すべて表4-1の「Ⓐ再稼働済み」に含まれるものであり、すでに再稼働をはたしていたものばかりであった。特重施設設置工事や点検、修理のために一時的に運転を停止していたケースはあったものの、2023年1～2月には稼働することがすでに織り込み済みの原子炉であった。端的に言えば、岸田首相には特段の出番はなく、動くことは決まっていた。にもかかわらず岸田首相は、あたかも自分が動かすかのような言い方をしたのである。

次に、当時、再稼働を果たしていなかった7基（表4-1の「Ⓑ許可済み未稼働」の5基に、2023年7、9月に再稼働した高浜1・2号機を加えた7基）ついて言えば、そもそも2022年8月に岸田首相が方針表明した時から、これらの再稼動に政府がどうコミットするのかは、きわめて不明確であった。

原子力規制委員会の許可を得ながら再稼働をはたしていなかった7基の原子炉のうち、関西電力・高浜1・2号機は、もともと、岸田政権がとくにコミットしなくても2023年中に再稼働することが見込まれていた。一方、2023年8月末の時点で、東京電力・柏崎刈羽6・7号機は、東京電力の不祥事によって、規制委員会の許可自体が事実上「凍結」された状態にある。日本原子力発電・東海第二も、裁判所によって運転が差し止められている。残りの2基、つまり東北電力・女川2号機、および中国電力・島根2号機は、運転再開に関する地元自治体の了解も取り付けており再稼働へ向けての準備が進んでいるが、再稼働のために必要な工事が2023年内に完了しない。したがって、柏崎刈羽6・7号機、東海第二、女川2号機、島根2号機の5基の2023年における再稼動は、政府の強力なコミットがない限り実現しないことになる。にもかかわらず、岸田政権は、これら5基の再稼動に対して、これまでのところ（2023年9月末現在）、コミットらしいコミットをほとんどしていない。その結果、これら5基の原発は、2023年夏・冬の電力危機解消には役に立たない見通しなのである。

結局、2023年に再稼働をはたしたのは、岸田政権が年内再稼働実現を表明した7基のうち、関西電力・高浜1・2号機の2基だけであった。あえて繰り返すが、これら2基はもともと再稼働することが想定されていたものである。岸田政権のコミットによって、再稼働にいたったわけではないのである。

一連の事例が示すように、岸田政権は、原子力に関してポーズをとるきらいがある。「7基の原子炉の2023年夏・来冬以降の新たな再稼動」を打ち出しても、そのために具体的施策を講じてこなかったのであり、「ポーズとり」と言われても仕方がないだろう。

そもそも2022年8月に注目を集めた(1)の次世代革新炉の開発・建設の検討も、単なるアドバルーンに過ぎなかったのかもしれない。世論の反応を見ていたのである。厳しい見方をすれば、本当のねらいは、最初から(2)の既設原発の運転延長にあったとも言える。いずれにしても、われわれ国民は、今後も、岸田政権の原子力政策について監視の目を光らせる必要がある。

## 原子力政策の漂流

原子力政策が漂流しているのは、何も岸田政権に限られているわけではない。根はもっと深いのである。

東京電力・福島第一原子力発電所事故から12年余りが経った。この間に日本では、エネルギー政策をめぐって、不思議な「まだら模様」が定着してしまった。電力システム改革や都市ガスシステム改革は進展したのに、肝心の原子力政策に関する改革はまったく進んでいないのだ。原子力規制委員会が発足し、新しい規制基準が制定されたではないかという反論が出るかもしれないが、それは、あくまでも原子力規制政策に関する事柄である。規制政策と厳格に区別されることになった原子力政策そのものに関しては、改革が手つかずだと言わざるをえない。

日本の原子力開発は、「国策民営方式」で進められてきた。福島第一原発事故のあと、事故を起こした当事者である東京電力（東電）が、福島の被災住民に深く謝罪しゼロベースで出直すのは、当然のことである。ただし、それだけではすまないはずである。国策として原発を推進した以上、関係する政治家や官僚も、同様にゼロベースで出直すべきである。しかし、彼らはそれを避けたかった。そこで思いついたのが、「叩かれる側から叩く側に回る」という作戦である。

この作戦は、東電を「悪役」として存続させ、政治家や官僚は、その悪者をこらしめる「正義の味方」となるという構図で成り立っている。うがち過ぎた見方かもしれないが、その悪者の役回りはやがて、東電から電力業界全体、さらには都市ガス業界全体にまで広げられたようである。一方で、政治家や官僚は、火の粉を被るおそれがある原子力問題については、深入りせず先送りする姿勢に徹した。このように考えれば、福島第一原発事故後政府が、電力システム改革や都市ガスシステム改革には熱心に取り組みながら、原子力政策については明確な方針を打ち出してこなかった理由が理解できる。熱心に「叩く側」に回ることによって、「叩かれる側」になることを巧妙に回避しようとしてきたのである（誤解が生じないよう付言すれば、筆者は、電力や都市ガスの小売全面自由化それ自体については、きわめて有意義な改革だと評価している）。

結果として、福島第一原発事故後12年余が経過したにもかかわらず、原子力政策は漂流したままである。厳しい言い方をすれば、次の選挙・次のポストを最重要視する政治家・官僚の視界は、3年先にしか及ばない。しかし、原子力政策を含むエネルギー政策を的確に打ち出すためには、少なくとも30年先を見通す眼力が求められる。このギャップは埋めがたいものがあり、そのため日本の原子力政策をめぐっては、戦略も司令塔も存在しないという不幸な状況が定着するにいたったのである。

## 二重に破たんした核燃料サイクルへの完全依存

原子力政策の漂流は、さまざまな重大問題を引き起こしている。その一つに、すでに事実上破たんした核燃料サイクルへの完全依存を、そのまま継続している問題がある。この章の締めくくりに、使用済み核燃料の処理問題、いわゆる「バックエンド問題」を取り上げることにしよう。

日本政府は、使用済み核燃料の処理に関して、世界で広く行われている直接処分方式、つまり1度使用したら廃棄する方式を排除している。そして、使用済み核燃料を再利用する核燃料サイクル方式一本槍で対処する方針を、今日でも堅持している。しかし、この核燃料サイクル完全依存方針は、二重の意味ですでに破たんしている。

図4-1は、日本政府が想定していた、核燃料サイクルの概要を示したものである。この図からわかるように、もともと核燃料サイクルは、「高速増殖炉燃料サイクル」と「軽水炉燃料サイクル」の二段構えで構成されていた。

しかし、このうち政府が重きを置いていた高速増殖炉サイクルは、２０１６年12月の高速増殖原型炉「もんじゅ」（福井県敦賀市）の廃炉決定によって、実現が不可能になった。これが、第１の破たんである。

残る方策は軽水炉燃料サイクルだけとなったが、その成否を決めるのは、ＭＯＸ（モックス）燃料を既存の原子力発電所の軽水炉で使用するプルサーマルである。ＭＯＸ燃料とは、使用済み核燃料の再処理によって分離されたプルトニウムをウランと混ぜて作り出す、混合酸化物燃料のことである。

表４-２にあるとおり、現在の日本には、ＭＯＸ燃料を装荷済みでプルサーマル利用できる軽水炉が４基しか存在しない。関西電力の高浜発電所３・４号機（合計でプルトニウムの年間利用目安量約１・１トン、以下同様）、四国電力伊方発電所３号機（約０・５トン）、九州電力玄海原子力発電所３号機（約０・５トン）が、それである。つまり、プルトニウムの年間利用目安量はプルサーマル炉１基当たりで約０・５トンということになるが、



図 4-1　核燃料サイクルの概要

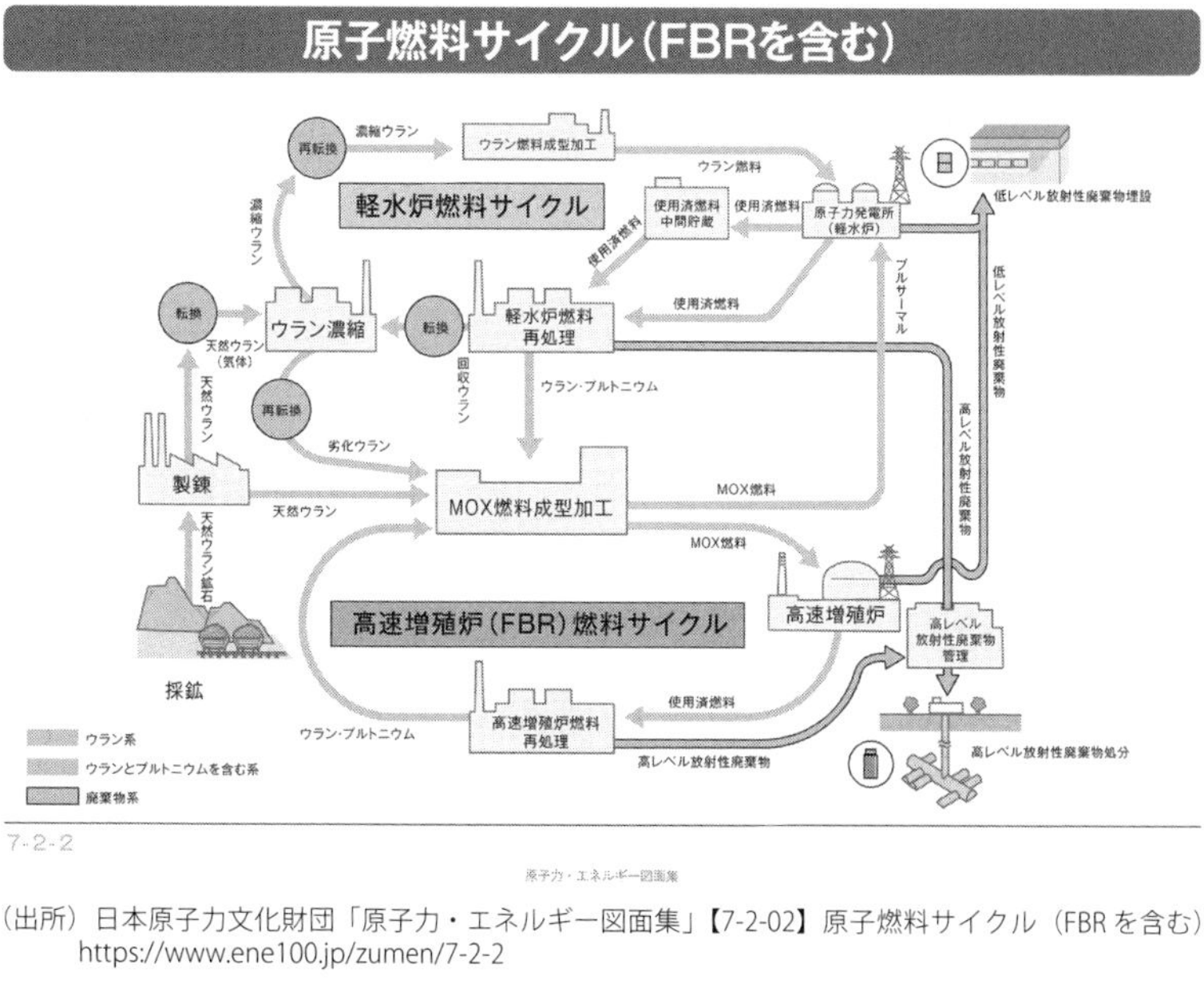


（出所）日本原子力文化財団「原子力・エネルギー図面集」【7-2-02】原子燃料サイクル（FBRを含む）
https://www.ene100.jp/zumen/7-2-2

一方で、青森県六ヶ所村にある日本原燃の再処理工場がフル稼働した場合には、年間約７トンのプルトニウムが生産される。７÷０・５＝14であるから、再処理工場が生み出すプルトニウムを消費するためには、14基のプルサーマル炉が必要になる。ところが、現実にはそれが４基しかない。これが、核燃料サイクル完全依存方針の第２の破たんである。

たしかに電力会社が集まる業界団体である電気事業連合会は、２０２１年２月に表４-２にまとめたプルトニウム利用計画を策定し、「２０３０年度までに少なくとも12基のプルサーマル実施を目指す」ことを打ち出した。しかし、同じ電気事業連合会は、じつは２０１０年９月にもプルトニウム利用計画を作成し、２０１５年度までに16~18基の軽水炉でプルサーマルを実施する方針を示していた。この２０１０年のプルトニウム利用計画は、きわめて不十分な成果しかあげなかった。２０２１年のプルトニウム利用計画は、２０１０年の計画と比べてとく

表 4-2　電気事業連合会が発表したプルトニウム利用計画（2021 年 2 月 26 日）

| 所有者 | 所有量（トン Put）*（2020 年度末予想） | 実施予定原子炉 | 装荷年／未装荷 | 年間利用目安量***（トン Put/ 年） |
|---|---|---|---|---|
| 北海道電力 | 0.3 | 泊発電所 3 号機 | 未装荷 | 約 0.5 |
| 東北電力 | 0.7 | 女川原子力発電所 3 号機 | 未装荷 | 約 0.4 |
| 東京電力 HD | 13.7 | いずれかの原子炉 | 未装荷 | — |
| 中部電力 | 4.0 | 浜岡原子力発電所 4 号機 | 未装荷 | 約 0.6 |
| 北陸電力 | 0.3 | 志賀原子力発電所 1 号機 | 未装荷 | 約 0.1 |
| 関西電力 | 12.6 | 高浜発電所 3・4 号機<br>大飯発電所の 1 ～ 2 基 | 2010、2016<br>未装荷 | 約 1.1<br>約 0.5 ～ 1.1 |
| 中国電力 | 1.4 | 島根原子力発電所 2 号機 | 未装荷 | 約 0.4 |
| 四国電力 | 1.5 | 伊方発電所 3 号機 | 2010 | 約 0.5 |
| 九州電力 | 2.2 | 玄海原子力発電所 3 号機 | 2009 | 約 0.5 |
| 日本原子力発電 | 5.0 | 敦賀発電所 2 号機<br>東海第二発電所 | 未装荷<br>未装荷 | 約 0.5<br>約 0.3 |
| 電源開発 | 他電力より譲渡** | 大間原子力発電所 | 未装荷 | 約 1.7 |
| 合　計 | 41.7 | —— | 未装荷 | 約 7.1 ～ 7.7 |

（出所）電気事業連合会「プルトニウム利用計画について」（2021 年 2 月 26 日）。
（注）*全プルトニウム（Put）量。
**フランス回収分のプルトニウムの一部が他の電力会社より電源開発に譲渡される予定。合計で約 1.3 トンの見込み。
***利用場所に装荷する MOX 燃料に含まれるプルトニウムの 1 年当たり換算量。

に新味があるわけではない。２０２１年のプルトニウム利用計画もまた、核燃料サイクル完全依存方針の第2の破たんを修復することは不可能であろう。

## バイデン政権と日米原子力協定をめぐる問題

日本の核燃料サイクル完全依存方針が破たんしていることは、深刻な国際問題をもたらしかねない。それは、アメリカでのバイデン・民主党政権の登場によって、日米原子力協定の枠組みが不安定になり、六ヶ所村での日本原燃による使用済み核燃料の再処理事業に大きな影響が出かねないという問題である。

再処理工場で生産されるプルトニウムは、高度な技術的処置を施せば、核兵器の材料として転用されるおそれがある。日本が核兵器非保有国でありながら、核燃料サイクル事業として使用済み核燃料の再処理を行うことを国際的に認められているのは、日米原子力協定による後ろ盾があるからである。アメリカ政府が後ろ盾を与える根拠は、日本には再処理で生産されるプルトニウムを平和利用するプランがあるという点に求めることができる。

しかし、ここまで述べてきたように、この平和利用プランの雲行きが怪しくなっている。六ヶ所再処理工場で生産されるプルトニウムの主要な利用先として想定されていた「もんじゅ」は、すでに廃炉になった。残る利用方法としては、既設の原子炉でプルサーマルを行うしかないが、現在の日本にはプルサーマルができる軽水炉が、必要数の3分の1以下の4基しかない。つまり、アメリカ政府の後ろ盾の根拠となっている日本のプルトニウム平和利用プランは、事実上破たんしているのである。

それに加えて、日米原子力協定自体が２０１８年7月に満期を迎え、現在は自動延長期間にはいっているという事情がある。この期間には、日米いずれかが通告するだけで協定の効力は失われる。バイデン政権は、コロナ対策やインフレ対策が一段落すれば、歴代の民主党政権がそうであったように核不拡散政策に力を入れることが見込まれる。そうなれば、民主党のカーター政権がかつて行ったように、日本における使用済み核燃料の再処理に対して厳しい姿勢をとる可能性もある。共和党のトランプ政権は関心を示さなかった日米原子力協定に対して、民主党のバイデン政権は見直しを求めてくるかもしれないのである。

原子力政策が漂流するなかで、わが国の核燃料サイクル完全依存方針はすでに破たんしており、根本的な見直しが求められている。六ヶ所再処理工場は竣工以前の2006年からアクティブ試験運転を行っており、廃止・原状復帰には膨大な費用がかかるため、その運転を今さら止めることはできない。そうであるとすれば、核燃料サイクル一本槍の現在の方針を改め、核燃料サイクルと直接処分とを併用する方針に変えることが、現実的な解決策だと言えよう。

## 使用済み核燃料の処理問題の解決方向

使用済み核燃料の処理問題（バックエンド問題）の中長期的な解決方向に関して筆者は、本書を執筆している2023年9月時点でも、姉妹書『エネルギー・シフト』（橘川2020：81-87頁）で述べた見解が有効性を維持していると考えている。ここでその見解の要諦を、再提示することにしよう。

バックエンド問題に対処するためには、使用済み核燃料を再利用するリサイクル方式をとるにしろ、それを1回の使用で廃棄するワンススルー（直接処分）方式をとるにせよ、最終処分場の立地が避けて通ることのできない課題となる。この立地を実現することは、きわめて難しい。

最終処分場では使用済み核燃料を地下深く「地層処分」することになるが、その埋蔵情報をきわめて長い期間にわたって正確に伝達することは至難の技である。リサイクル方式をとれば危険な期間は短縮されるかもしれないが、それでも「万年」の単位にわたるという。つまり、伝達期間は少なくとも何百〜何千世代にも及ぶことになる。原発推進派のなかには「地層は安定しているから大丈夫だ」と主張する向きもあるが、それでは地上はどうなのだろうか。例えば、プルトニウム（239）の半減期は2万4000年だが、2万年前には北海道はアジア大陸と陸続き、本州から種子島まで陸続きで、日本列島の姿は今とはまったく異なっていたという。たとえ最終処分場が決まったとしても、そこが水没し、海になってしまうおそれは否定できない。

使用済み核燃料の危険な期間が万年単位のままでは、いくら政府が前面に出ても、最終処分地が決まるはずはない。最終処分地の決定には危険な期間を数百年程度に短縮する有害度低減技術の開発が必要不可欠である。使用済み核燃料の有害度低減技術の開発については、その困難性のゆえに否定的な見解をもつ識者も多いが、どんなに高いハードルであってもそれをクリアしない限り、あるいは少なくともそれにチャレンジしない限り、人類の未来は開けないと言えよう。

もし、最終処分場の立地が実現することがあるとすれば、それは、使用済み核燃料の容量が小規模化し、危険な期間が大幅に短縮された場合だけだろう。この小規模化と期間短縮を「減容化」と表現するが、2014年策定の第4次エネルギー基本計画は、その使用済み核燃料の減容化について、次のように述べていた。

「放射性廃棄物を適切に処理・処分し、その減容化・有害度低減のための技術開発を推進する。具体的には、高速炉や、加速器を用いた核種変換など、放射性廃棄物中に長期に残留する放射線量を少なくし、放射性廃棄物の処理・処分の安全性を高める技術等の開発を国際的なネットワークを活用しつつ推進する」（閣議決定、2014：46頁）。

「もんじゅについては、廃棄物の減容・有害度の低減や核不拡散関連技術等の向上のための国際的な研究拠点と位置付け、これまでの取組の反省や検証を踏まえ、あらゆる面において徹底的な改革を行い、もんじゅ研究計画に示された研究の成果を取りまとめることを目指し、そのため実施体制の再整備や新規制基準への対応など克服しなければならない課題について、国の責任の下、十分な対応を進める」（閣議決定、2014：46頁）。つまり、第4次エネルギー基本計画では、「もんじゅ」の高速炉技術を、それまでのように核燃料の増殖のためでなく、[14] 使用済み核燃料の減容化のために転用するという方針が、すでに打ち出されていたのである。

この「もんじゅ」に対する第4次エネルギー基本計画の方針は、正しかった。ところが政府は、2016年12月に「もんじゅ」の廃炉を正式決定した。その後のエネルギー基本計画の策定にあたっては、「もんじゅ」に代わる毒性軽減炉開発のきっかけをどう明記するかが一つの焦点となったが、結局、抽象的な記述に終始したまま、ここでも、問題は先送りされ、現在にいたっている。「もんじゅ」に替えて、どのように減容炉・毒性軽減炉開発を進めるのか、これが、バックエンド対策構築の第1の、そして最大の焦点となる。

ただし、バックエンド問題の解決には時間がかかるから、その間、原発敷地内に、燃料プールとは別の追加的エネルギーを必要としない空冷式冷却装置を設置し、「オンサイト中間貯蔵」を行うことも求められる。これが、バックエンド対策構築の第2の焦点である。

さらに言えば、きわめて困難とされる減容炉・毒性軽減炉に関する技術革新が成果をあげず、バックエンド問題が解決しないこともありうる。その場合に備えて、「リアルでポジティブな原発のたたみ方」という選択肢も準備すべきであり、これがバックエンド対策構築の第3の焦点だと言える。

リアルでポジティブな原発のたたみ方の柱となるのは、①火力シフト（送変電設備を活用した原子力発電から火力発電への転換）、②廃炉ビジネス（旧型炉の廃炉作業などによる雇用の確保）、③オンサイト中間貯蔵への保管料支払い（使い終わった電気が生み出した使用済み核燃料という危険物質を預かってもらうことに対して、消費者が電気料金等を通じて支払う保管料）、からなる原発立地地域向けの「出口戦略」だ。このような出口戦略が確立すれば、現在の立地地域も、「原発なきまちづくり」が可能となる。

原発は、発電設備は危険だが、変電設備・送電設備は立派であるわけだから、時間はかかるだろうが、発電設備をLNG火力やカーボンフリー火力に置き換えたうえで、変電所・送電線は今のものを使い続ければいい。そうすれば、火力発電のビジネスと原発廃炉の仕事によって、地元のまちの雇用は確保され、経済は回る。さらに、これらに使用済み核燃料の保管料が加わる。原発立地地域の「原発なきまちづくり」は、不可能ではないのだ。

②の廃炉ビジネスに関連して言えば、何よりも廃炉の社会的意義を明確にする必要がある。これからは国内外を問わず原子力施設の廃炉・廃止は不可避であり、廃炉ビジネスが21世紀前半の原子力事業の柱となることは、否定のしようがない。原発推進派のなかには「原子力発電所を作らない限り原子力人材は育たない」という人が多いが、日本国内での原発の新増設は、今後、たとえリプレースがあったにしても、せいぜい数基にとどまる。それだけでは、原子力人材は育成されない、廃炉技術の社会的意義を明確にして、それを原子力工学の中心に据え直さない限り、必要な人材を確保することは困難だろう。つまり「廃炉を通じて原子力人材を育てる」べきなのである。

われわれは、使用済み核燃料の処理問題にどう向きあうべきか。(1)「もんじゅ」に代わる有害度低減技術開発の具体的な方針を確立すること。(2)原発敷地内に空冷式冷却装置を設置し「オンサイト中間貯蔵」を行うこと。(3)「リアルでポジティブな原発のたたみ方」という選択肢も準備すること。これらの3点が重要だと思われる。

14 「もんじゅ」は、もともと、高速増殖原型炉として建設された。

# 第5章 火力発電をどうするか

## カーボンフリー火力なくしてカーボンニュートラルなし



### 火力発電・化石燃料と第6次エネルギー基本計画

本書の第1章で述べたように、2021年に策定された第6次エネルギー基本計画の2030年に関する電源構成見通しの問題点の一つは、火力発電の比率が非現実的な水準にまで引き下げられ、その影響が石炭火力にとどまらず天然ガス火力にも及んだことにある。

第6次エネルギー基本計画に盛り込まれた電源構成見通しでは、「2030年温室効果ガス2013年比46％削減」目標とのつじつま合わせの結果、2030年度の石炭火力の比率は第5次エネルギー基本計画より7ポイント少ない19％となり、20％を割り込んでしまった。また、2030年度の一次エネルギー構成見通しにおける石炭の比率も、それまでの25％から6ポイント引き下げられて19％とされた。

同じく第6次エネルギー基本計画では、温室効果ガス46％削減目標との帳尻合わせのために、2030年度の電源構成見通しにおけるLNG（液化天然ガス）火力の比率は、第5次エネルギー基本計画に比べて7ポイント引き下げられて20%とされた。一方、石炭の場合とは異なり、2030年度の一次エネルギー構成における天然ガスの比率は、18%のまま維持された。これは、天然ガスの使用は、発電分野では縮小するが、非電力分野では拡大するという見方にもとづくものである。ただし、ここで見落としてはならないのは、第6次エネルギー基本計画では一次エネルギー供給量見通し全体が大幅に下方修正されたため、比率維持があったとしても、2030年度における年間天然ガス需要見通しは、第5次エネルギー基本計画が想定した規模からさらに800万トンほど少ない5500万トン弱にとどまることになったという事実である。

また、第6次エネルギー基本計画では、2030年度の電源構成見通しにおける石油火力の比率は、第5次エネルギー基本計画に比べて1ポイント引き下げられて2%とされた。2030年度の一次エネルギー構成における石油の比率は、2ポイント低下して31%となった。

これらの結果、第6次エネルギー基本計画に盛り込まれた2030年度の電源構成見通しにおける火力発電全体の比率は、第5次エネルギー基本計画から15ポイント低下して、41%となった。また、一次エネルギー構成における化石燃料全体の比率は、8ポイント減って68%となった。

## 火力発電・化石燃料の現状

第6次エネルギー基本計画が強く打ち出した火力発電・化石燃料のウエイト低下は、現実に即したものだろうか。今のところ、この問いに対する答えは、否定的なものとなる。

図5-1が示すように、日本の2021年度の電源構成に占める火力発電の比率は72・8%に達する。内訳は、天然ガス火力が34・4%、石炭火力が31・0%、石油火力が7・4%である。

日本の電源構成火力発電の比率は、近年、漸減していることは事実である。とは言え、それが70％を上回る状況は、２０１１年の東京電力・福島第一原子力発電所事故以降、一貫して継続している。第６次エネルギー基本計画が示した２０３０年度に火力発電比率が41％まで低下するという見通しは、現実性に乏しいと言わざるをえない。

日本政府も、この事実を認識している。そのことは、法的義務をともなうエネルギー供給高度化法の実際の運用に、端的な形で示されている。本来であれば、第６次エネルギー基本計画で２０３０年度におけるゼロエミッション電源の比率を59％と見通したのであるから、エネルギー供給高度化法で義務づけるゼロエミッション電源比率も59％に高めなければおかしい。しかし、現時点で、同法によるゼロエミッション電源の義務づけ比率は、第５次エネルギー基本計画に平仄を合

図 5-1　日本における電源構成の変化（2010 ～ 21 年度）

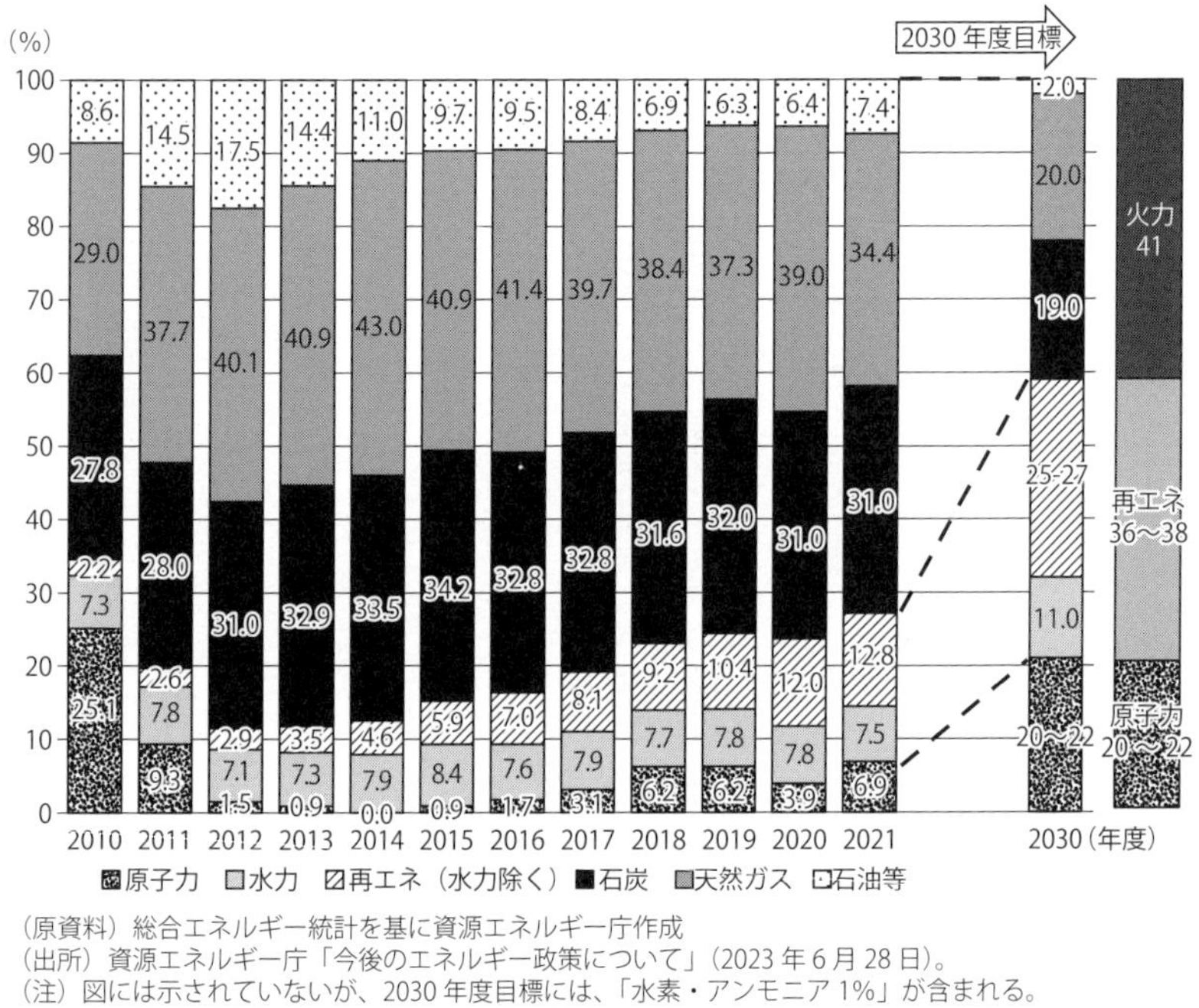


（原資料）総合エネルギー統計を基に資源エネルギー庁作成
（出所）資源エネルギー庁「今後のエネルギー政策について」（2023 年 6 月 28 日）。
（注）図には示されていないが、2030 年度目標には、「水素・アンモニア 1%」が含まれる。

わせた44％に据え置かれたままである。日本政府も、2030年度までにゼロエミッション電源比率を59％にまで引き上げること、別言すれば火力発電比率を41％にまで引き下げることは難しいと、認識しているのである。

図5-2からわかるように、日本は、火力発電で使用する化石燃料（原油、LNG〔液化天然ガス〕、石炭）の大半を海外から輸入している。石油輸入に関しては中東依存度が高く、エネルギー安全保障上のアキレス腱ともなっている。[15]

火力発電のウエイトが大きいこと、そこで使用する化石燃料の大半を輸入していること、そしてウクライナ危機によって化石燃料価格が高騰したことは、日本経済に深刻な打撃をもたらしている。図5-3にあるとおり、2021～22年には、化石燃料の輸入数量は増えていないが、輸入金額は急膨張したのである。

15　図5-2は、化石燃料輸入に関する日本のロシア依存度が、ウクライナ危機後低下していることも示している。



図5-2　日本の化石燃料輸入の概要（2022年速報値）

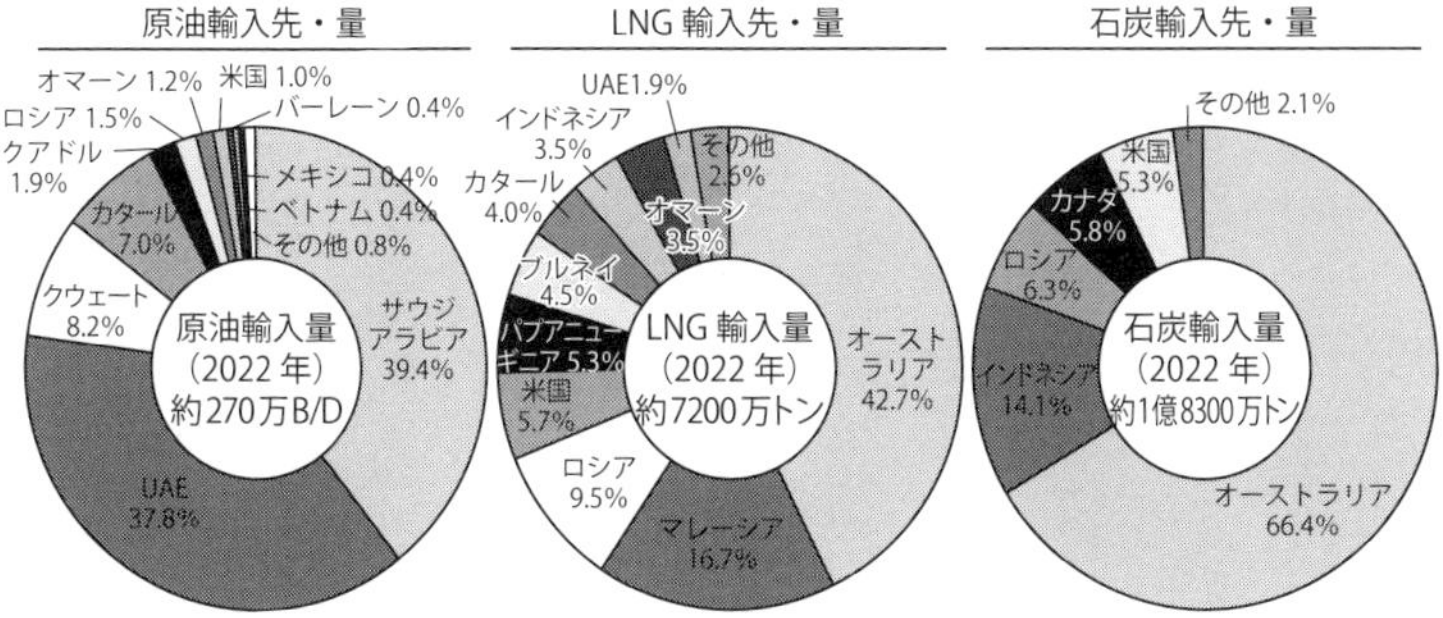


| | 原油 | LNG | 石炭 |
|---|---|---|---|
| 海外依存度 | 99.7% | 97.8% | 99.7% |
| 中東依存度 | 94.1% | 9.4% | 0% |
| ロシア依存度（2021年） | 3.6% | 8.8% | 11% |
| ロシア依存度（2022年） | 1.5% | 9.5% | 6.3% |

（原資料）財務省貿易統計、資源エネルギー庁総合エネルギー統計（海外依存度）
（出所）資源エネルギー庁前掲「今後のエネルギー政策について」。

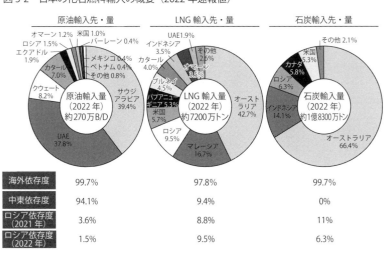

## 電力危機の「救世主」は火力発電

日本では、2022年夏以降、電力の需給逼迫に対する懸念が高まった。この電力危機を乗り越えるうえで「救世主」となったのは、やはり火力発電であった。この点を臨場感をもって説明する目的で、ここでは、筆者が2022年にPRESIDENT Onlineで発信した2本のエッセイの主要な内容を紹介する。

＊　＊　＊

**「より深刻な電力危機は、この夏よりも『冬』である…日本が『まともに電気が使えない国』に堕ちた根本原因」**（PRESIDENT Online, 2022年7月17日発信）

**本当に電力自由化が悪いのか**

需給逼迫と料金高騰のダブルパンチを浴びて、危機的な状況に陥っている日本の電力。なぜ電力危機は起きたのか、いつ、どこで危機は正念場を迎えるのか、について考察してみよう。

2022年の6月末から始まった電力需給の

図5-3　日本の化石燃料輸入の金額・数量の推移（2011～22年）

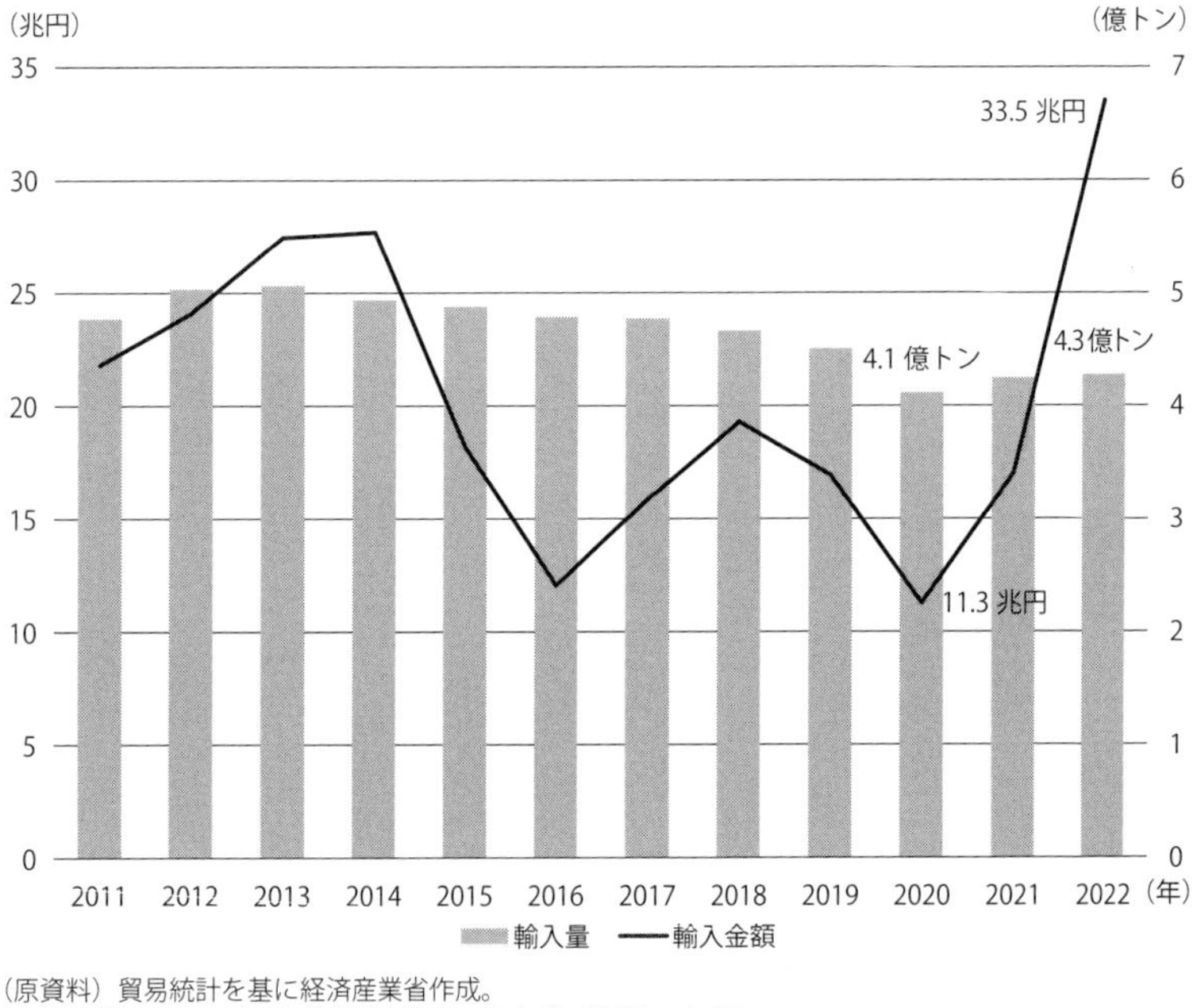


（原資料）貿易統計を基に経済産業省作成。
（出所）資源エネルギー庁前掲「今後のエネルギー政策について」。
（注）化石燃料は、石炭及びコークス及び練炭・石油及び石油製品・天然ガス及び製造ガスを指す。

逼迫は、直接的には、気温の急上昇による冷房需要の急伸という需要サイドの要因によって引き起こされた。しかし、短期的な需給逼迫が2021年1月や2022年3月にも生じたことからわかるように、根本的な原因は供給サイドにあると見るべきである。

供給サイドの要因としてしばしば指摘されるのは、①再生可能エネルギーの普及の不十分性、②原子力発電所の再稼動の遅れ、③東西間の送電連系の脆弱性などである。これらについて、2016年の小売全面自由化で本格化した電力自由化の結果だとみなす議論が一部で根強い。しかし、このような見方は、まったく的外れである。①と③は、2016年以前から強く問題視されていた点であり、電力自由化の結果として生じたものではない。②は2011年の東京電力・福島第一原子力発電所事故の帰結であって、自由化とは関係がない。

電気料金の高騰についても、それが電力自由化の設計ミスの結果だとする議論は間違っている。料金高騰の原因はあくまでLNG（液化天然ガス）・石炭等の火力発電用燃料の価格上昇であって、たとえ電力自由化がなかったとしても、今回の料金高騰を回避することはできなかったであろう。

端的に言えば、現在の電力危機は電力自由化の結果ではない。電力自由化は、独占の廃止による消費者にとっての選択肢の拡大、競争原理の導入による電力会社のガバナンスの向上など、多くのメリットをもたらした。悪いのは、自由化ではない。真の原因は、別のところにある。

## 原子力が「喉に刺さった骨」

電力の需給逼迫をもたらした供給サイドの真因は何か。それは、電力業界や政府内で長く支配的であった、そして今も強い影響力を有する「原子力依存型」のビジネスモデルにあると言うべきであろう。

「原子力依存型」モデルとは、原子力発電を主力電源とみなし、電源構成のなかで原子力を最優先させる考え方である。

このモデルは、今でも電力業界で主流となっており、大半の旧一般電気事業者は、原子力発電所の再稼働を再重点課題としている。原発再稼働は、収益効果が大きいだけでなく、電気料金引下げを通じて電力市場での競争優位確保を可能にするからである。すでに再稼働をはたした関西電力・九州電力・四国電力が、「電力業界の勝ち組」とみなされているのは、このような事情による。

２０１８年策定の第5次エネルギー基本計画以降、「再生可能エネルギー主力電源化」を掲げるようになった日本政府も、「原子力依存型」モデルの呪縛からのがれ出してはいない。２０２２年5月に打ち出した「クリーンエネルギー戦略」のなかで、原子力発電の「最大限活用」をうたったことは、その証左と言える。

「原子力依存型」モデルの呪縛は、再生可能エネルギーの普及を遅らせる大きな原因となった。２０１８年の第5次エネルギー基本計画で政府が、せっかく「再生エネ主力電源化」へ舵を切りながら、肝心の30年の電源構成見通しにおける再生エネの比率が22～24%に据え置いたことは、それを象徴する出来事だった。この22～24%という再生エネ比率は、パリ協定締結以前の２０１５年に設定されたものであり、再生エネ普及への日本の消極的な姿勢を示すものとして、国際的にも批判の対象となっていた。にもかかわらず、日本政府が２０１８年の時点でも再生エネ比率を22～24%にとどめたのは、再生エネ比率の上昇が原子力比率の低下につながることをおそれたからにほかならない。

そもそも、「原子力依存型」モデルは、電気事業の真のレーゾンデートル（存在意義）を「誤解」したものである。電気事業のレーゾンデートルを支える基盤は、けっして発電力にあるのではなく、停電を起こさない系統運用能力にあるからだ。電気は、基本的には、生産したと同時に消費しなければならない特殊な商品である。発電は他の事業主体でも担いうるが、系統運用は電気事業者にしか遂行できない固有の業務であることを忘れてはならない。電気事業のレーゾンデートルを系統運用に見出すという「基本」を忘れた「原子力依存型」モデルの呪縛にとらわれた政府と電力業界は、当然の帰結として、送電網の拡充に十分な力を注ぐことがなかった。早くからその重大さが指摘されてきたにもかかわらず、東西間の送電連系の脆弱性が抜本的に改善されてこなかった背景には、このような事情が存在する。

電力需給の逼迫をもたらした真の原因は、電力業界と政府に根づいた「原子力依存型」モデルにあった。その意味で原子力は、日本の電気事業における「喉に刺さった骨」なのである。

## あまり期待できない参院選後の原子力の「活用」

「原子力依存型」モデルに問題があることは明らかであるが、だからと言って、原子力発電をただちにやめろという意見に与することはできない。資源小国である日本にとって、再生エネから原子力まで、すべてのエネルギー源は大切であり、選択肢を減らすことは得策ではないからである。

ロシアのウクライナ侵攻は世界的なエネルギー危機に拍車をかけたが、そのような状況下で欧州や日本では、原子力発電の「活用」によって危機を乗り切ろうとする動きが強まっている。日本でも、逼迫する電力需給を緩和するため、原子力発電所を早く再稼働すべきだという声をよく聞く。理屈上は成り立つ議論であるが、ここで直視しなければならないのは現実だ。そもそも原子力は速効性を有する柔軟な電源ではないのであり、じつは、需給逼迫が深刻化する2022年の7～8月だけでなく、2023年の1～2月にも、原発再稼働は間に合わないのである。

ウクライナ危機が発生したからといって、日本の原子力規制委員会が規制基準の運用を緩めるはずがない。したがって、再稼働が想定できるのは、すでに規制委員会の許可がおりながら再稼働にいたっていない7基の原子炉ということになる。これらのうち東京電力・柏崎刈羽6・7号機は、東京電力の不祥事によって、原子力規制委員会の許可自体が事実上「凍結」された状態にある。日本原子力発電・東海第二は、裁判所によって運転が差し止められている。したがって、早期に再稼働する可能性があるのは、残りの4基、つまり東北電力・女川2号機、関西電力・高浜1・2号機、および中国電力・島根2号機に絞られる。たしかに、これら4基は、運転再開に関する地元自治体の了解も取り付けている。にもかかわらず、ここが肝心な点であるが、4基のいずれについても、再稼働のために必要な工事が、2023年2月時点では完了しないのである。

「当面する電力需給逼迫を解消するために原発再稼働を」という意見は、残念ながら、「空理空論」の域を出ないと言わざるをえない。

2022年7月の参議院議員選挙で、政府与党は勝利をおさめた。この点と、今のところこれから3年間国政選挙が予定されていない点とをふまえて、岸田文雄政権が一挙に原子力「復権」に動くという見方が一部にある。しかし、現実はそうならないだろう。

岸田政権は、お題目として「原発の最大限活用」や「新型炉の開発」を唱えても、肝心の「原発リプレース（建て替え）・新増設」に踏み込むことはあるまい。いくら大きな選挙がしばらくないからと言って、選挙に勝つためには原子力にふれないこと、問題を先延ばしすることが一番だと考える政治家の心理は変わらないからである。

## 危機の正念場は2023年1～2月の東日本

太陽光発電がある程度普及すると、需給逼迫による電力危機は、夏よりも冬に、より厳しいものとなる。夏の電力需要がピークに達するのは冷房の使用規模が増大する晴れた日の真っ昼間だが、その時には太陽光発電がフル稼働している。これに対して、冬の電力需要が高まるのは朝夕の時間帯であり、太陽光発電の稼働はあまり期待できない。とくに寒い雪の日に冬の電力需要はピークを記録するが、そのような日には太陽光発電はそもそも稼働することがない。このような事情から、電力危機の正念場は、今夏ではなく来冬にやって来る。

注意すべき点は、とくに東日本の電力危機が深刻なものになることだ。すでに再稼働をはたしている10基の原子炉、2022年度中に運転を開始する3基の大型石炭火力のいずれもが、周波数60ヘルツの西日本に所在する。対照的に周波数50ヘルツの東日本には、再稼働している原子炉は皆無だし、今年中に新設される石炭火力もない。そして、「東西間の送電連系の脆弱性」は、あいかわらず存在し続けている。

電力危機は、間違いなく2023年1～2月の東日本で正念場を迎える。それへの有効な対応策は、今のところ節電しかないというのが実情である。

＊＊＊

2本目のエッセイを発信したのは、それから5カ月たった2022年12月のことである。

＊＊＊

## 「7年ぶりの節電要請をだれも知らない…なぜかまるで危機感が共有されていない日本の電力の絶望的状況『ポーズばかりで何もしていない』岸田首相の罪深さ」（PRESIDENT Online，2022年12月31日発信）

2022年7月17日にPRESIDENT Onlineで発表した拙稿「より深刻な電力危機は、この夏よりも『冬』である…日本が『まともに電気の使えない国』に墜ちた根本原因」の中で、「電力危機は、間違いなく2023年1～2月の東日本で正念場を迎える。それへの有効な対応策は、今のところ節電しかない」、と書いた。そして、その根拠として、政府が電力危機対策として力を入れる原子力発電（原発）の活用拡大の成果には限界があるとの見通しを示した。

いよいよ、問題の2023年1～2月がやって来る。2022年7月の時点に比べて、電力危機の度合いが多少緩和されたことは、事実である。しかし、政府の対応の不作為を含めて、問題の基本的な構造は、何も変わっていない。

別表は、2022年12月16日の総合資源エネルギー調査会基本政策分科会（基本政策分科会）で資源エネルギー庁が開示したものであり、6月時点と12月時点の電力供給の予備率に関する見通しの変化を表している。最上段の「12月」「1月」「2月」は、それぞれ「2022年12月」「2023年1月」「2023年2月」を意味する。

この表からわかるように、2022年6月時点での見通しでは、2023年1、2月の電力供給予備率は東京ではマイナス、西日本（中部～九州）では1～2%台となり、安定供給に最低限必要とされる3%を下回っていた（表中の網掛け部分）。東北でも、予備率は3%そこそこにとどまった。

それが、２０２２年12月時点の見通しになると、２０２３年１、２月の電力供給予備率は西日本では５～６％台に乗り、東日本（東北および東京）では４％台となった。電力危機の度合いは緩和されたが、東日本の４％台という数値は、けっして安心できる水準ではない。

現に政府は、２０２２年の12月１日、７年ぶりに冬季（22年12月１日～23年３月31日）の節電要請を行うことを決定した。閣議後の記者会見で西村康稔経済産業大臣は、「電力需給は厳しい。想定した需要が上振れするリスクもある」と述べた。

この節電要請は全国を対象にしているが、その焦点が東日本にあることは明らかである。資源エネルギー庁も、12月の基本政策分科会で配布した資料（「エネルギーの安定供給の確保」、２０２２年12月16日）の中で、今冬の電力供給予備率について、「（２０２３年）１月の東北・東京エリアでは４・１％となるなど、依然として厳しい見通しであり、大規模な電源脱落や想定外の気温の低下による需要増に伴う供給力不足のリスクへの対策が不可欠」、と記している。

結局のところ、２０２２年６～12月に電力供給予備率を上昇させるうえで大きな役割をはたしたのは、原子力発電ではなく火力発電であった。とくに、石炭火力の貢献度が高かった。

まず、大型の高効率石炭火力の新設が相次いだ。２０２２年の８月に



表　電力供給の予備率見通しの変化

《2022 年 6 月時点》

<table>
<tr><th></th><th>12 月</th><th>1 月</th><th>2 月</th><th>3 月</th></tr>
<tr><td>北海道</td><td>12.6%</td><td>6.0%</td><td>6.1%</td><td>10.0%</td></tr>
<tr><td>東　北</td><td rowspan="2">7.8%</td><td>3.2%</td><td>3.4%</td><td rowspan="9">9.4%</td></tr>
<tr><td>東　京</td><td>− 0.6%</td><td>− 0.5%</td></tr>
<tr><td>中　部</td><td rowspan="7">4.3%</td><td rowspan="7">1.3%</td><td rowspan="7">2.8%</td></tr>
<tr><td>北　陸</td></tr>
<tr><td>関　西</td></tr>
<tr><td>中　国</td></tr>
<tr><td>四　国</td></tr>
<tr><td>九　州</td></tr>
<tr><td>沖　縄</td><td>45.4%</td><td>39.1%</td><td>40.8%</td><td>65.3%</td></tr>
</table>

⇒

《2022 年 12 月時点》

<table>
<tr><th></th><th>12 月</th><th>1 月</th><th>2 月</th><th>3 月</th></tr>
<tr><td>北海道</td><td>14.4%</td><td>7.9%</td><td>8.1%</td><td>12.1%</td></tr>
<tr><td>東　北</td><td rowspan="2">9.2%</td><td rowspan="2">4.1%</td><td rowspan="2">4.9%</td><td rowspan="8">11.5%</td></tr>
<tr><td>東　京</td></tr>
<tr><td>中　部</td><td rowspan="6">7.4%</td><td rowspan="6">5.6%</td><td rowspan="6">6.5%</td></tr>
<tr><td>北　陸</td></tr>
<tr><td>関　西</td></tr>
<tr><td>中　国</td></tr>
<tr><td>四　国</td></tr>
<tr><td>九　州</td></tr>
<tr><td>沖　縄</td><td>44.5%</td><td>33.1%</td><td>34.4%</td><td>56.6%</td></tr>
</table>

（出所）資源エネルギー庁「エネルギーの安定供給の確保」（2022 年 12 月 16 日）。
（注）1.　12 月は 2022 年、1・2・3 月は 2023 年。
2.　網掛け部分は、電力の安定供給に最低限必要な予備率 3%を下回っていることを示す。

は、ＪＥＲＡの武豊（たけとよ）火力発電所５号機（１０７万kW、愛知県）が営業運転を開始した。続いて11月には、中国電力の三隅（みすみ）発電所２号機（１００万kW、島根県）も営業運転を開始した。さらに４月に火入れを行った神戸製鋼所の神戸発電所４号機（65万kW、兵庫県）も、２０２２年度内の営業運転開始を予定している。[16]

このように、西日本の周波数60ヘルツエリアで、大型石炭火力の新設が進んだだけではなかった。東日本の周波数50ヘルツエリアでも、２０２２年３月の福島沖地震で停止していた石炭火力が、次々に戦列復帰した。これらが、電力供給予備率を上昇させる原動力となったのである。

もちろん、ＬＮＧ（液化天然ガス）火力も、電力危機克服には大きな戦力となる。しかし、ＬＮＧについては、ロシアのウクライナ侵攻の影響でサハリン２からの供給が断たれるおそれがあるなど、調達上の不安がつきまとう。これに対して、輸入先のロシアから他国への変更が順調に進んでいる石炭については、このような不安があまりない。「とくに、石炭火力の貢献度が高い」と述べたのは、このような理由による。

＊＊＊

日本において電力危機を乗り越えるうえで火力発電所が「救世主」となる状況は、２０２３年になっても継続した。現在でも、その状況に変わりはないのである。

## 石炭火力に感謝しつつ、たたむ時期を明確にする

このように、日本が２０２２年冬および２０２３年夏の電力危機を克服することができたのは、火力発電の貢献

16　神戸製鋼所の神戸発電所４号機は、２０２３年２月に営業運転を開始した。

によるものであった。そこでは、もちろんＬＮＧ火力も重要な役割をはたしたが、その間にもウクライナ戦争は継続しており、天然ガスの調達には不確実性がともない続けた。その意味で、電力危機克服に安定的な力を発揮し、日本国民に安心感を与えたのは、石炭火力であった。

ロシアのウクライナ侵略が加速させた「天然ガス危機」は、短・中期的には代替財としての石炭の価値を高めた。しかも日本では、表5-1が示すように、２０２２年から２０２３年にかけて、比較的二酸化炭素の排出量が少ない高効率の超々臨界圧（USC：Ultra Super Critical）石炭火力の新規稼働が相次いだ。これらの発電所は、わが国のエネルギーの安定供給とコスト抑制に大いに貢献することになった。

しかし、序章でも述べたように、いくら高効率のＵＳＣ石炭火力であっても、二酸化炭素を大量に排出することには変わりはない。つまり、石炭火力がある程度「復活」し、それへの依存期間が延びるということは、最終的に石炭火力をたたむ道筋を示すロードマップを明示する必要性がいっそう高まったことも意味するのである。

本書の第２章で述べたように、日本が考える長期的な石炭火力からの脱却策は、アンモニア火力への転換である。「天然ガス危機」が続く状況下では短・中期的に石炭火力への依存を高めるのはやむをえないが、長期的にはロードマップを示し、いつまでにどの程度石炭にアンモニアを混焼し、最終的には何年にアンモニア専焼火力に切り替えるか、つまり石炭火力を廃止するかということをはっきりさせなければならな



表 5-1　日本における石炭火力の最後の建設ラッシュ（2022 ～ 24 年）

| 企　業 | 発電所・号機（所在地） | 出　力 | 運転開始年月 |
|---|---|---|---|
| JERA | 武豊・5（愛知県） | 107 万 kW | 2022 年 8 月 |
| 中国電力 | 三隅・2（島根県） | 100 万 kW | 2022 年 11 月 |
| 神戸製鋼所 | 神戸・4（兵庫県） | 65 万 kW | 2023 年 2 月 |
| JERA | 横須賀・1（神奈川県） | 65 万 kW | 2023 年 6 月 |
| JERA | 横須賀・2（神奈川県） | 65 万 kW | 2024 年 2 月（予定） |

（出所）諸資料にもとづき、筆者作成。

いのである。

## 2040年をめどに石炭火力をたたむ

日本とドイツを比較すると、2022年の電源構成に占める石炭火力の比率はほぼ同じで、ドイツが32%、日本が31%であった（自然エネルギー財団、2023）。しかし、石炭火力をめぐる両国への国際的評価は、対照的と言っていいほどの違いがある。ドイツは、さまざまな国際会議で、石炭火力をたたむ「正義の味方」のように振る舞っている。一方日本は、石炭火力にしがみつく「悪者」であるかのような扱いを受け、毎年のように、不名誉な「化石賞」を与えられる羽目になっている。

同じように石炭火力を使っているのにもかかわらず、日本とドイツで、なぜこれほどまでに評価の違いが生じるのか。その理由はたった一つ、ドイツが石炭火力を廃止する時期を明示しているのに対して、日本がそれを明示していないからである。

ドイツは、アンゲラ・メルケル政権時代には、2038年に国内の石炭火力を運転停止するとしていた。その後、緑の党が連立与党に加わった現在のオラフ・ショルツ政権では、石炭火力の廃止時期を2030年に前倒ししたが、ウクライナ戦争開始後にドイツが石炭火力への依存度を高めている実情をふまえれば、廃止時期は2038年に戻される可能性がある。

それでは、日本は、いつ石炭火力をたたむことができるだろうか。日本政府は、2020年代後半には、石炭火力に20%程度のアンモニアを混焼する方針である（経済産業省資源エネルギー庁電力基盤整備課、2022：23頁）。また、日本最大で世界有数の火力発電会社であるJERAは、2022年5月に発表した「2035年に向けた新たなビジョンと環境目標」のなかで、石炭火力へのアンモニア50％以上の高混焼について、２０３０年代前半に商用運転を開始すると宣言した（6頁）。アンモニア混焼率が50％を超え、１００％のアンモニア専焼に近づくと、もはや石炭火力とは呼べなくなり、ガス火力とみなすべき状態に達する。この時点が、日本が石炭火力をたたむタイミングとなる。それは、２０４０年ごろになると言って、問題なかろう。

この点は、別の観点からも、裏づけることができる。表5-1に掲げた5基のピカピカの超々臨界圧石炭火力を新設した各社は、これらを少なくとも15年間は使い続けたいだろう。5基のうち最後となるＪＥＲＡ・横須賀2号機は、２０２４年に運転開始する予定である。２０２４＋15＝２０３９であるため、２０４０年に石炭火力をたたんでも、この観点からも問題はないはずである。

じつは世界のなかで、石炭火力の建設的なたたみ方、つまり石炭火力のアンモニア火力への転換を提示しているのは、日本だけである。日本政府は、２０４０年に石炭火力をたたむと宣言すべきである。また、新設の予定がないことから、２０２５年以降、超々臨界圧石炭火力を建設しない方針も打ち出すべきである。そうすれば、国際社会から、「石炭火力の延命のためにアンモニアを持ち出している」と揶揄されることもなくなる。日本は、大手を振って、２０４０年まで石炭火力を使い続けることができるのである。

## 「ＧＸ実現に向けた基本方針」と火力発電・化石燃料

本書の第2章で述べたように、日本でカーボンニュートラルを実現するためには、火力電源の脱炭素化がきわめて重要な役割をはたす。そこでの議論を再掲しておこう。

「カーボンニュートラルのためには、太陽光や風力のような変動電源を多用しなければならない。変動電源にはバックアップの仕組みが不可欠であるが、蓄電池はまだコストが高いし、原料面で中国に大きく依存するという問題点もある。したがってバックアップ役として火力発電が登場することになるが、二酸化炭素（$CO_2$）を排出する従来型の火力発電ではカーボンニュートラルに逆行してしまう。そこで、燃料にアンモニアや水素を用いて$CO_2$を排出しない、あるいはCCUSを付して排出する$CO_2$を回収する「カーボンフリー火力」が必要になる。つまり、カーボンフリー火力なくしてカーボンニュートラルはありえないという事情である」。

火力電源の脱炭素化の鍵を握るのは、石炭火力のアンモニア火力への転換と、ガス火力の水素火力への転換である。この点は、経済産業省「GX実現に向けた基本方針の概要」（経済産業省、2023a）が取り上げた22事例の筆頭に「水素・アンモニア」を掲げ、「水素・アンモニアの国内導入量2030年水素300万トン・アンモニア300万トン（アンモニア換算）、2050年水素2000万トン・アンモニア3000万トン（アンモニア換算）に向け、今後10年でサプライチェーン構築支援制度や拠点整備支援制度を通じて、大規模かつ強靭なサプライチェーン（製造・輸送・利用）を構築する」（3頁）、と述べていることからも明らかである。

## 石炭火力のアンモニア火力転換：JERA・碧南火力発電所

石炭火力のアンモニア火力への転換の先陣を切っているのは、JERAの碧南《へきなん》火力発電所（愛知県）である。同発電所では、すでに2021年10月、アンモニア混焼の試験が開始された。

筆者は、混焼試験開始後2カ月経った時点で、碧南火力発電所を訪れたことがある。そのときの記録を2022年2月10日付の『電気新聞』に「碧南、アンモニア混焼へ」として発表したが、同記事の概要は、以下のとおりである。

＊＊＊

２０２１年の年の瀬、日本最大の石炭火力であるＪＥＲＡの碧南火力発電所を訪れる機会があった。訪問の目的は、その2カ月前の２０２１年10月に始まった同発電所5号機（超々臨界圧、出力１００万kW）での燃料アンモニアの小規模利用試験を見学することである。

ＪＥＲＡとＩＨＩは、2年後の２０２４年度には碧南火力発電所4号機において、アンモニア20％混焼の実証試験を予定している。今回の小規模利用試験のねらいは、材質の異なるバーナを用いて実証試験用バーナの開発に必要な条件を確認することにある。小規模試験を5号機で行い、実証試験を4号機で実施するのは、定期検査のタイミングの兼ね合いと、両機が同一設計であることとによるそうだ。

見学に先立ち5号機ボイラー建屋の屋上に立つと、衣浦湾《きぬうら》と三河湾をバックに展開する碧南火力発電所の全容を俯瞰することができた。そこで4号機で行う実証試験のための工事計画について説明を受けたが、それは、①北端の貯炭場の横に位置する外航船揚炭桟橋にアンモニア専用の荷役装置を設置する、②南端の資材置き場を活用してアンモニアタンクと気化器を新設する、③その両者を結ぶ形で発電所の南北を貫くアンモニアパイプラインを敷設する、④途中にある4号機のボイラーで改造されたバーナを使って実証試験を行う、というものであった。

5号機の建屋内では、実際に2本のバーナノズルを使って金属材料の耐久性評価を行っている様子を目の当たりにすることができた。建屋の外では、5号機にアンモニアガスを引き込むための細いパイプが接合されていた。そのガスは、すでに脱硝装置で使っているものを転用する。脱硝プロセスでアンモニアに関する知見を蓄積してきたことが、今回の混焼計画の重要な前提条件となっているのだ。

「小規模利用試験」というだけあって、5号機で行われていた作業は、けっして大がかりのものではなかった。しかし、それは、大きな夢へつながる初めの一歩のように感じられた。

ここで、このような表現を用いたのは、碧南火力発電所でのアンモニア混焼の背景には、壮大な文脈が存在するからである。カーボンニュートラルのためには、太陽光や風力のような変動電源を多用しなければならない。変動電源にはバックアップの仕組みが不可欠であるが、蓄電池はまだコストが高いし、原料面で中国に大きく依存するという問題点もある。したがってバックアップ役として火力発電が登場することになるが、$CO_2$を排出する従来型の火力発電ではカーボンニュートラルに逆行してしまう。そこで、燃料にアンモニアや水素を用いて$CO_2$を排出しない、あるいはCCUS（二酸化炭素回収・利用、貯留）を付して排出する$CO_2$を削減する「カーボンフリー火力」が必要になる。つまり、カーボンフリー火力なくしてカーボンニュートラルはありえないわけである。

このカーボンフリー火力という概念は、日本最大のそして世界有数の火力発電会社であるJERAが20年10月に「ゼロエミッション2050」のビジョンを発表することによって、一挙に現実味をもつようになった。ゲームチェンジャーとなったJERAが、ビジョン実現の突破口として位置づけるのが、碧南火力発電所でのアンモニア混焼である。

石炭火力には強い逆風が吹くにもかかわらず、碧南の現場で出会った人々は、みな使命感に燃え意気軒昂としていた。それを可能にしたのは、ここで述べたような文脈である。

＊＊＊

カーボンニュートラルの実現にとって国際的にも大きな意味をもつ石炭火力のアンモニア火力への転換は、JERAの碧南火力発電所において、歴史的な第一歩を踏み出したのである。

## ガス火力の水素火力への転換：川崎臨海部

一方、ガス火力の水素火力への転換について、先陣を切るのはどこだろうか。現時点では、川崎臨海部となる可能性が高い。

筆者は、２０２２年7月、川崎臨海部の扇島地区周辺に立地する4カ所の火力発電所を1日で見学する機会を得た。そのときの記録を２０２２年10月3日付の『ガスエネルギー新聞』に「川崎・扇島のガス火力発電　次世代燃料のフロンティア」として発表したが、同記事の概要は、以下のとおりである。

＊＊＊

まず、なぜ扇島か。同地区に立地するＪＦＥスチール・東日本製鉄所（京浜地区）が、２０２３年9月を目途に高炉の運転を休止することを決めているからである。首都圏の中心に位置する広大な跡地には、日本の未来を担う新産業が展開する可能性がある。そして、東京湾随一の水深22ｍを誇る埠頭は、高炉停止後、水素・アンモニア・合成メタンなどの次世代燃料を陸揚げするうえで、格好の条件を備えている。

次に、なぜ火力発電所か。扇島とその周辺の扇町、東扇島では、4カ所のガス火力発電所が操業している。これらの発電所は、現時点ではＣＯ₂を排出しているが、カーボンニュートラルへの流れが強まるなかで、そう遠くない将来、そのいずれもが、カーボンフリーの次世代燃料への転換を進めることが見込まれるからである。

つまり、川崎扇島周辺の火力発電所群は、わが国におけるカーボンフリー火力の展開を牽引する蓋然性が高いのである。石炭火力のアンモニア転換については、日本の他地域でも先進事例がみられるが、ガス火力のゼロエミッション化に関しては、川崎の扇島周辺がフロンティアになるだろう。

最初に訪れたのは、扇町地区にある川崎天然ガス発電である。「川天」の愛称で知られる同社は、ＥＮＥＯＳ51％、東京ガス49％出資の合弁会社である。天然ガスを燃料として使用するガスタービンと、排熱を回収利用して動かす蒸気タービンとを組み合わせたコンバインドサイクル方式で発電することにより、最高57・6％の高い熱効率（低位発熱量ベース、以下同様）を実現する。1、2号機の合計出力は８４・７４万㎾。天然ガスは、東京ガスの扇島ＬＮＧ基地、およびＪＥＲＡの東扇島

LNG基地から調達する。①運用の柔軟性が高い（太陽光発電の出力増加に対応して昼間に出力制御する）、②環境にやさしい（緑地率23・4％やコチドリの生息地など）、③コンパクトな造りであり少人数で運営している、などの特徴をもつ。③の点に関連するが、タービン建屋のないLNG火力発電所を見たのは初めてであった。

次の訪問先は、同じ扇町地区にある東日本旅客鉄道（JR東日本）の川崎発電所。天然ガスを燃料とする発電機を3台（合計出力62・16万kW）、都市ガスを燃料とする発電機を1台（出力18・74万kW）擁し、やはりコンバインドサイクル発電方式を採用している。発電効率は49・2％～50・6％。電車運行用の自家発電所であり、太陽光発電が稼働する昼間に出力を制御する「川天」やJERA東扇島火力発電所とは対照的に、電車が動かない夜間に出力を抑制する。天然ガスの調達先は「川天」と同様に東京ガス・扇島LNG基地およびJERA・東扇島LNG基地であり、都市ガスは東京ガスから供給を受けている。なお、JR東日本は、川崎発電所のほかに、新潟県にやはり自家用の信濃川発電所（水力）を有する。JR各社のなかで、自家発電所をもっているのは、JR東日本だけだそうである。

続いて見学したのは、扇島の製鉄所敷地内の一角を占めるJFEの自家発電所である扇島火力発電所。JFEは、高炉停止後も厚板、薄板、鋼管等の下工程の生産は継続する予定であり、扇島火力発電所の機能も残る。現在稼働する同発電所新1号機（出力18・82万kW、ガスタービンコンバインドサイクル式）は、高炉ガス等の副生ガス焚きであるが、高炉停止後は天然ガス焚きに切り換える。その際、発電効率は47・2％から約50％へ上昇する予定である。

最後の見学先は、JERAの東扇島火力発電所。まず、扇島にあるLNGバースへ徒歩で向かい、そこで、約6万トンのLNGを積んだ球形タンク方式の船からの荷揚げ作業を目の当たりにした。同バースは、日本一の年間着桟隻船数を誇るが、それでもLNG船がちょうど着桟したタイミングで見学できたことは、幸運であった。その後、バスに乗り、厳重に保冷・保安措置を講じたLNGパイプラインに沿って、東扇島火力発電所へ向かった。LNGタンク、気化設備、ボイラ、蒸気タービン等を擁する同発電所では、それぞれ出力100万kWの2台の発電機が稼働している。

このように、川崎臨海部の扇島・扇町・東扇島には、4カ所のガス火力発電所が集中的に立地する。それらと隣接する東京湾最深の現在のJFEの埠頭には、高炉の休止後には、大型の液体水素船の着桟が可能となる。高炉停止後の跡地には、水素のタンク群を建設することもできる。

水素だけでなく、同様の条件は燃料アンモニアにもあてはまる。扇島の埠頭に大型アンモニア船が着桟し、高炉の跡地にアンモニアタンクが並ぶこともありうるのだ。

次世代燃料としては、さらに、合成メタンという選択肢も存在する。その場合には、扇島の川崎市側に立地するJERAのLNGバースだけでなく、扇島の横浜市側に立地する東京ガスのLNGバースも、活用できる。

これらの条件を活かして、4発電所における次世代燃料への転換が進めば、それは間違いなく、日本のカーボンニュートラル化に大きく貢献する。川崎扇島周辺のエリアは、まさにフロンティアになろうとしている。

＊　＊　＊

石炭火力のアンモニア火力への転換は碧南火力発電所で始まるが、ガス火力の水素火力への転換は川崎臨海部でスタートする可能性が高いのである。

# 第6章 水素・アンモニア・合成燃料

## 社会実装への課題と道筋

### 「GX実現に向けた基本方針」と水素・アンモニア

カーボンニュートラルを実現するうえで重要な役割をはたす水素とアンモニアについて、「GX実現に向けた基本方針」は、きわめて高い位置づけを与えている。同方針の本文では、次のように述べている。

「水素・アンモニアは、発電・運輸・産業など幅広い分野で活用が期待され、自給率の向上や再生可能エネルギーの出力変動対応にも貢献することから安定供給にも資する、カーボンニュートラルの実現に向けた突破口となるエネルギーの一つである。特に、化石燃料との混焼が可能な水素・アンモニアは、エネルギー安定供給を確保しつつ、火力発電からの$CO_2$排出量を削減していくなど、カーボンニュートラルの実現に向けたトランジションを支える役割も期待される。同時に、水素・アンモニアの導入拡大が、産業振興や雇用創出など我が国経済への貢献につながるよう、戦略的に制度構築やインフラ整備を進める。

大規模かつ強靭なサプライチェーンを国内外で構築するため、国家戦略の下で、クリーンな水素・アンモニアへの移行を求めるとともに、既存燃料との価格差に着目しつつ、事業の予見性を高める支援や、需要拡大や産業集積を促す拠点整備への支援を含む、規制・支援一体型での包括的な制度の準備を早期に進める。また、化石燃料との混焼や専焼技術の開発、モビリティ分野における商用用途での導入拡大を見据えた施策を加速させる。

エネルギー安全保障の観点を踏まえ、国内における水素・アンモニアの生産・供給体制の構築にも支援を行う。特に国内の大規模グリーン水素の生産・供給については、中長期を見据えてなるべく早期に実現するため、余剰再生可能エネルギーからの水素製造・利用双方への研究開発や導入支援を加速する。水素・アンモニアを海外から輸入する場合においても、製造時の温室効果ガス排出など国際的な考え方にも十分配慮するとともに、上流権益の獲得を見据えた水素資源国との関係強化を図る。

国民理解の下で、水素・アンモニアを社会実装していくため、２０２５年の大阪・関西万博での実証等を進めるとともに、諸外国の例も踏まえながら、安全確保を大前提に規制の合理化・適正化を含めた水素保安戦略の策定、国際標準化を進める」（閣議決定、２０２３：８頁）。

この方針をふまえて経済産業省「GX実現に向けた基本方針　参考資料」（経済産業省、２０２３b）は、２０２５年までを「集中的な制度創設期間」、２０２６～30年を「コスト及び導入目標達成に向けた取組期間」、２０３０・40年代を「需要拡大・安定供給に向けた普及期間」とする。２０３０年時点での目標コストを、水素については30円／$Nm^3$（CIF価格）[17]、アンモニアについては10円台後半／$Nm^3$（水素換算）とおく。これは、水素に関しては天然ガスの2倍強、アンモニアに関しては石炭の約3倍の供給コストである。２０５０年時点での水素の目標コストは、20円／$Nm^3$と想定している。２０３０年時点での国内導入量は、水素・アンモニア合計で発電量の１％に当たる３００

万トンを見込み、2050年時点ではそれが、水素2000万トン、アンモニア3000万トンにまでそれぞれ増加すると見通している（以上、3頁参照）。

## 水素利活用を進めるうえでの課題

本書の第2章では、「じつは、非電力分野の施策こそが、『2050年カーボンニュートラル』を実現するうえで鍵を握る」、「端的に言えば、非電力分野でのカーボンニュートラルへ向けた取組みの成否を決するのは、水素なのである」、と指摘した。つまり、水素こそがカーボンニュートラルを達成するうえでのキーテクノロジーだと言うことができるが、その水素の利活用を進めるためには、クリアしなければならない大きな課題が存在する。

それは、大口の需要先を確保するという課題である。既存の需要先である燃料電池車やエネファームだけでは需要規模として不十分であり、大量に水素を消費する水素発電が登場しない限り、水素のサプライチェーンを構築することは難しい。

ところが、本来であれば中心的に取り組むはずの電力業界が、水素発電に対して熱心でない。日本の電力各社は、火力発電関連の経営資源の多くを石炭火力のアンモニア転換に充てており、欧米ではすでに具体化している大型水素発電のプロジェクトは、今のところ、わが国では見当たらない。

日本の電力各社がアンモニアを選択し水素に冷淡なのは、①社会的批判の高まりから火力部門では石炭火力のアンモニア転換が第一義的に追求すべき経営課題となっている、②アンモニアでは存在する世界的なサプライチェー

17　運賃保険料込み価格。

ンが水素には存在しない、③電力会社は火力発電所における脱硝プロセスを通じてアンモニアに関する知見を有している、などの事情による。しかし、誰かが大型水素発電を始めない限り、水素のサプライチェーンが構築されることはない。水素の最大の課題として需要の問題を取り上げたのは、このためである。

## 水素発電はコンビナートで始まる可能性が高い

それでも日本で大型水素発電が始まるとしたら、それはコンビナートで生じる可能性が高い。筆者は、2018年に刊行した書物（稲葉・平野・橘川、2018）のなかで、「水素活用社会の到来に関して、コンビナートは大きな役割を果たすことができる。コンビナートは、水素の発生源として、あるいは水素の受入れ基地として、固有の役割を担いうるのである」（114頁）と述べたことがある。この見立ては現実のものとなりつつあるが、それは、水素発電に関しても当てはまる。

水素発電を本格的に遂行するには、港湾・タンク・パイプラインなどが必要になるが、これらの施設を確保することは、コンビナートにおいては、比較的容易である。また、水素発電について、現実的にはガス火力の水素への燃料転換という道筋で登場するという見方が有力であるが、コンビナートには、LNG（液化天然ガス）火力をはじめ多数のガス火力が存在する。さらに、コンビナートにはさまざまな業種の企業が集まっている。たとえ電力会社が消極的であったとしても、石油会社・ガス会社・鉄鋼会社などが電力会社に代って水素発電に取り組む可能性が高いのである。本書の第5章で紹介したように、川崎臨海部が水素発電のフロンティアになろうとしているのは、このようなコンビナート特有の諸条件が揃っているからである。

## 日本だけがアンモニア火力に取り組んでいるのはなぜか

次に、アンモニアに目を転じよう。

燃料アンモニアの使用に関して、よく寄せられる質問がある。それは、欧米諸国に比べて、なぜ日本だけがアンモニア火力の実装に積極的な姿勢をとっているのか、という問いである。この問いに対する答えを導くうえでヒントを与えるのは、電源構成の違いである。

日本は、他の先進国と比べて石炭火力への依存度が高く、その分だけ真剣に石炭火力のカーボンニュートラル化に取り組まなければならない立場にある。２０２２年のG７諸国の電源構成における石炭火力の比率は、高い方から順に、ドイツが32％、日本が31％、アメリカが20％、カナダとイタリアが５％、イギリスが２％、フランスが１％であった（自然エネルギー財団、２０２３）。

ドイツは、日本とほぼ同水準の高い石炭火力依存度を示したが、一方で、２０２２年の電源構成に占める再生可能エネルギー（再エネ）の比率は45％に達した。日本は、その比率が22％にとどまった（以上、自然エネルギー財団、２０２３、参照）。ドイツは、再エネ比率を急速に高めることによって、２０２３年に原子力発電を停止したのに続いて、２０３０年には石炭火力発電を廃止する方針を打ち出している。日本は、このような方針をとっていない。日本政府が２０２１年10月に閣議決定した第６次エネルギー基本計画では、２０３０年の電源構成を、再エネ36～38％、原子力20～22％、水素・アンモニア火力１％、石炭火力19％、LNG火力20％、石油火力２％、と見通しているのである（閣議決定、２０２１）。

端的に言えば、日本では、ドイツのようなペースで迅速に再エネ比率を高めることができない。したがって、「再生エネを増やして石炭火力をなくす」というドイツ式のアプローチだけでは、問題が解決しない。日本で石炭火力のカーボンニュートラル化を実現するためには、再生エネの普及だけでなく追加的な方策も講じる必要があり、その「追加的な方策」として浮上したのが、石炭火力の燃料としてアンモニアを混焼し、徐々に混焼比率を上げて、やがてアンモニア専焼火力に転換するという日本式のアプローチなのである。Ｇ７を構成する先進国のなかで日本だけがアンモニアに取り組んでいる理由は、このような事情に求めることができる。

## アンモニアをどのように調達するのか

それでは、日本で燃料アンモニアを本格的に使用するには、どのような問題を解決しなければならないのだろうか。

まず指摘すべきは、「大量のアンモニアをどのように調達するか」という点である。これは大問題であり、石炭火力のアンモニア転換を実現するうえでの最大の課題だと言える。

日本は現在、年間約１００万トンのアンモニアを肥料用等に消費している。しかし、石炭火力でアンモニアを20％混焼した場合、大型機１基で年間50万トンのアンモニアが必要となる。政府が２０２１年６月に改定した「２０５０年カーボンニュートラルに伴うグリーン成長戦略」（内閣官房ほか、２０２１）では、発電用に必要な年間のアンモニア量を２０３０年に３００万トン、２０５０年に３０００万トンと見込んでいる。

しかも、この需要見通しは上方修正される可能性が高い。その後、石炭火力だけでなくナフサクラッカーや焼成キルンにおいても、化学産業やセメント産業の「カーボンニュートラル化の切り札」として、熱源をアンモニアに転換する見通しが強まっているからである。

他方で、現在原料用アンモニアは、世界で年間約2億トン製造されている。一見、調達は容易そうに見えるが、その大半が、製造時に$CO_2$（二酸化炭素）を排出する「グレーアンモニア」として生産されている点が問題である。カーボンニュートラルのために使用するアンモニアは、グレーアンモニアであってはならず、再生可能エネルギーを使って作る電解水素を活用し製造時に$CO_2$を排出しない「グリーンアンモニア」か、製造時に$CO_2$を排出するもののそれを回収して貯留するＣＣＳ付きの「ブルーアンモニア」か、でなければならない。グリーンアンモニアやブルーアンモニアを必要量調達することは、けっして容易ではないのである。

日本の電力会社、石油会社や商社は、「グリーンアンモニア」や「ブルーアンモニア」を確保するための動きを強めている。日本最大の火力発電会社であるＪＥＲＡおよび石油元売大手の出光興産が世界最大のアンモニアメーカーであるノルウェーのヤラ社との協業を模索したり、総合商社の三井物産がアブダビ国営石油会社（ＡＤＮＯＣ）のクリーンアンモニア生産プロジェクトに参画したりしているのが、それである。これらの動きがさらに進展することを期待したい。

## 既存の火力発電と比べてコストが高くないか

燃料アンモニアの使用が直面するもう一つの問題は、「既存の火力発電と比べてコストが高くないか」、という点である。

たしかに現状では、火力発電用の燃料アンモニアのコストは高い。２０２２年6月14日に開かれた総合資源エネルギー調査会基本政策分科会第49回会合において、事務局をつとめる資源エネルギー庁は、足元の$Nm^3$-$H_2$当たりの燃料価格について、一般炭は7円程度、ＬＮＧは13円程度、グレーアンモニアは20円程度と説明した（資源エネルギー庁、２０２２ａ：60頁参照）。

　この分科会の席上、資源エネルギー庁は、既存燃料とのコスト差を縮小するため、さまざまな支援策を講じる意向を表明した。そして具体的には、「発電用の燃料アンモニアについて２０３０年に10円台後半／Nm³‐$H_2$の供給価格を目標とする」としたうえで、「ハーバーボッシュ法に代わるアンモニア新合成技術や再エネから一気通貫でアンモニアを合成するグリーンアンモニア電解合成の技術開発を支援」する、「低廉かつ安価なサプライチェーン実現に向け、資源国との連携強化を進める」、「貯蔵用タンクの整備などのインフラ整備の在り方などにも注目しながら、導入拡大、商用化に向けた支援措置の詳細検討を行う」などの方針を提示したのである（資源エネルギー庁、２０２２ａ：61頁参照）。なお、ここで登場するハーバーボッシュ法とは、20世紀の初頭にドイツで開発され現在でも広く使われている画期的なアンモニアの合成法のことであるが、最近ではエネルギーを大量に消費する点が問題視されるようになっている。

　基本政策分科会第49回会合の主たる目的は、経済産業省が２０２２年5月13日にまとめた「クリーンエネルギー戦略　中間整理」（産業技術環境局・資源エネルギー庁、２０２２）の内容を説明することにあった。この中間整理は、ＧＸ（グリーントランスフォーメーション）を実現するための重点分野・産業として、アンモニア、水素、洋上風力、蓄電池、原子力、二酸化炭素分離回収、コンクリート・セメント、ＳＡＦ（持続可能な航空燃料）、合成メタン、合成燃料・グリーンＬＰＧ（液化石油ガス）、化学、バイオものづくり、鉄鋼、自動車、運輸、住宅・建築物・インフラ、食料・農林水産業を、幅広く取り上げている。そのなかで「いの一番」に挙げられているのはアンモニアである（産業技術環境局・資源エネルギー庁、２０２２：58‐94頁参照）。また、第49回会合で資源エネルギー庁がＧＸの重点分野・産業について説明した際にも、大半の時間をさいたのはアンモニアに関してであった。これらの事実から、燃料アンモニアの社会実装にかける日本政府の並々ならぬ決意を窺い知ることができる。

燃料アンモニアの使用に関して懸念される三つ目の問題は、「窒素酸化物（NOX）の排出は大丈夫か」という点である。

## 窒素酸化物（NOX）の排出は大丈夫か

アンモニアの化学式は$NH_3$であるから、このような疑問が生じるのは、当然のことである。ただし、燃料アンモニアの使用にともなうNOX排出の抑制については、技術革新が進んでいることも事実である。

例えば、燃料アンモニア活用の動きの起点となった内閣府の戦略的イノベーション創造プログラム（SIP）「エネルギーキャリア」でサブ・プログラムディレクターをつとめた住友化学（当時）の塩沢文朗氏は、「NOXの生成について、「燃焼機器内で燃焼気体中の$NH_3$が若干余剰となる条件で$NH_3$を燃焼することにより、抑制可能であることがわかった。こうした条件下では、燃焼気体中に存在する$NH_3$の還元作用が働き、燃焼中に生成するNOXが$N_2$（窒素…引用者）に還元されるのである。つまり、$NH_3$は燃料としても、燃焼で生成するNOXの還元剤として働くことが明らかになり、燃焼機器の設計、燃焼条件の調整によりNOXの発生が抑えられることがわかったのだ」（戸田・矢田部・塩沢、2021：137頁）、と述べている。

この点に関連しては、電力業界で最も早く2017年の7月3～9日に石炭火力の水島発電所2号機（岡山県）でアンモニア混焼の実機試験を行った中国電力の経験も、有用である。同社は、発電機出力12万kWの状態で0・8％（1000kW相当）のアンモニア混焼を実施し、「試験を行った燃焼方法において、一定の条件の下では、窒素酸化物の濃度が下がる傾向にある、といった新しい知見が確認できたことから、本知見について特許を出願し」（中国電力、2017）たのである。

## 燃料アンモニアの社会的実装にとっての三つの課題

燃料アンモニアを石炭火力やナフサクラッカー、焼成キルンで活用することは、世界のカーボンニュートラル化に貢献する日本発のユニークな施策である。同様のアプローチは、2022年の電源構成における石炭火力の比率が日本と同水準の31％に達した韓国でも、採り入れられつつある。

ただし、ここで検討したように、燃料アンモニアの社会的実装のためには、三つの課題をクリアしなければならない。第1は、「グリーンアンモニア」と「ブルーアンモニア」を大規模に調達することである。第2は、それらのコストを少なくともLNG並みに引き下げることである。そして第3は、ハーバーボッシュ法に代わる新しいアンモニア合成技術やNOXの排出を抑制する技術を確立することである。

これらの課題を達成することは、けっして容易ではない。しかし、それを成し遂げた先には、燃料アンモニアの社会実装という素晴らしい未来が待っている。

## 「GX実現に向けた基本方針」と合成燃料

カーボンニュートラルを実現するうえでは、水素やアンモニアだけでなく、合成メタン（e-methane）、グリーンLP（液化石油）ガス、合成液体燃料（e-fuel）などを含む合成燃料も、重要な役割をはたす。「GX実現に向けた基本方針」は、合成燃料を「カーボンリサイクル燃料」と呼び、高い位置づけを与えている。同方針の本文の記述は、以下のとおりである。

「カーボンリサイクル燃料は、既存のインフラや設備を利用可能であり、内燃機関にも活用可能であるため、脱炭素化に向けた投資コストを抑制することができるとともに、電力以外のエネルギー供給源の多様性を確保することでエネルギーの安定供給に資する。

メタネーションについては、燃焼時の$CO_2$排出の取扱いに関する国際・国内ルール整備に向けて調整を行い、化石燃料によらないLPガスも併せて、グリーンイノベーション基金を活用した研究開発支援等を推進するとともに、実用化・低コスト化に向けて様々な支援の在り方を検討する。

SAFや合成燃料（e-fuel）については、官民協議会において技術的・経済的・制度的課題や解決策について集中的に議論を行いつつ、多様な製造アプローチ確保のための技術開発促進や実証・実装フェーズに向けた製造設備への投資等への支援を行う」（12-13頁）。

以下では、ここで言及されているメタネーション、グリーンLPガス、e-fuel、SAFについて、順次掘り下げる。

## メタネーションとは何か

都市ガス産業がカーボンニュートラルをめざす場合、その施策の柱となるのは、グリーン水素ないしブルー水素と$CO_2$とから都市ガスの主成分であるメタンを合成するメタネーションである。合成メタンであっても燃焼時には$CO_2$を排出するが、製造時に$CO_2$を使用することによって相殺されると考え、カーボンニュートラルとみなすわけである。なお、グリーン水素とは、再生可能エネルギーで生産された電力で水の電気分解を行い製造するなど、生産過程で$CO_2$排出をともなわない水素のことである。また、ブルー水素とは、生産過程で$CO_2$を排出するものの、それを回収して再利用したり（CCU：二酸化炭素回収・利用）地下貯留したり（CCS：二酸化炭素回収・貯留）

して、カーボンフリー化された水素をさす。

メタネーションを行い水素と$CO_2$からメタンを合成して利用することは、水素を直接使用することと比べて、エネルギーロスが大きくなる。にもかかわらず、都市ガス産業がメタネーションを選択するのには理由がある。水素は、メタンに比べて、容積当たりの熱量が小さい。したがって、既存の熱需要を水素供給によって充たすためには、多大な追加投資を行って導管を大幅増設しなければならない。これを避けるため、都市ガス産業は、水素よりも合成メタンに力を入れているのである。

## メタネーション技術の概要

総合資源エネルギー調査会電力・ガス事業分科会電力・ガス基本政策委員会ガス事業制度検討ワーキンググループは、２０２３年２月に開催した第26回会合から、都市ガスのカーボンニュートラル化についての審議にとりかかった。同年３月に開かれた第27回会合では、メタネーションが議題となった。その場で配布された事務局資料「合成メタン（e-methane）について」（資源エネルギー庁、２０２３a）には、今、日本で取り組まれているメタネーション技術の概要が、要領よくまとめられている。ここでは、その内容を紹介することにしよう。

メタネーションの方法については、化学反応によるものと生物反応によるものとに大別することができる。化学反応によるメタネーションでは、サバティエ反応を使うものが一般的であるが、より高効率な合成の実現をめざす革新的メタネーションの技術開発も始まっている。

サバティエ反応は、フランスの科学者ポール・サバティエ（１８５４-１９４１）が発見したもので、$4H_2+CO_2 \rightarrow CH_4+2H_2O$という反応式で示される。原料は水素と二酸化炭素で、化学反応を用いる。温度は

500℃以下で、基本技術は確立済みである。総合効率は55～60%で、総合効率の向上と反応熱のマネジメントに課題を残す。

サバティエ反応によるメタネーションに取り組む日本の研究開発企業としては、INPEX、日立造船、IHIなどを挙げることができる。すでに毎時数㎥～十数㎥規模の生産が実現しているが、現在、生産力を毎時数百㎥規模へ拡充するための開発が進行中である。そして、2030年までに毎時1万～数万㎥規模の生産を実現することをめざしている。

既存のサバティエ反応とは異なる革新的メタネーションには、大阪ガスが進めるSOEC（固体酸化物形電気分解セル）方式と、東京ガスが取り組むハイブリッド・サバティエ方式およびPEM（固体高分子膜）方式とがある。いずれも電気化学反応によるメタネーションであり、原料が水と$CO_2$である点に特徴がある。水素の外部調達を、必要としないのである。これらの革新的メタネーションは、現時点ではラボレベルでの研究開発にとどまっているが、2030年までに毎時10～数百㎥規模の生産を行おうとしている。そして、2040年代には毎時1万～数万㎥規模の生産を実現することをめざしている。

SOEC方式は、メタン合成連携反応を用いるメタネーションであり、$3H_2O + CO_2 \rightarrow CO + 3H_2 + 2O_2$と$CO + 3H_2 \rightarrow CH_4 + H_2O$という二つの反応式で表現される。800℃までの高温反応となるが、排熱を有効利用することにより高効率化を図る。総合効率85～90%の達成を目標としている。高温電解に必要なセルの開発、メタン合成触媒の耐久性・反応制御の向上、高温下で一連の反応を連続して行うシステムの構築が、今後の課題である。

ハイブリッド・サバティエ方式は、水電解と低温サバティエ反応を連携させるメタネーションである。反応式は、

$4H_2O+CO_2 \rightarrow CH_4+2H_2O+2O_2$となる。220℃以下の低温反応ではあるが、排熱を有効利用して高効率化を図る点ではSOEC方式と変わりがない。目標とする総合効率は、80%超である。水電解に必要なセルの開発、メタン合成触媒の耐久性・反応制御の向上が、課題となる。

PEM（固体高分子膜）を用いるメタネーションの反応式は、ハイブリッド・サバティエ方式と同じく$4H_2O+CO_2 \rightarrow CH_4+2H_2O+2O_2$である。80℃以下の低温反応である点に特徴があり、低温であるため大型化が容易である。また、1段階の反応でメタン合成を行うため、設備コストの低減も可能になる。目標とする総合効率は、70%超である。メタン合成触媒の耐久性・反応制御の向上が、課題となる。

ここまで化学反応によるメタネーションについて見てきたが、これらのほかに生物反応によるメタネーションについても、開発が進んでいる。これは、バイオガスを製造するわけではなく、回収した$CO_2$を微生物機能を用いてメタネーションするものである。東京ガスと大阪ガスが生物反応によるメタネーションに取り組んでおり、現在、ラボレベルでの研究開発を行っている。

以上のように、現在、日本では、①既存のサバティエ反応を使うメタネーションの大型化、②革新的メタネーション、③生物反応によるメタネーションという、三つのタイプの異なる技術開発が並行して進行しているわけである。アメリカの経営学者クレイトン・M・クリステンセンが『イノベーションのジレンマ』などの一連の著作で指摘したように、同一の市場においてタイプの異なるイノベーションに同時並行的に取り組むことは、至難の業である。イノベーション間のカニバリゼーション（共食い。顧客への提供価値が類似する自社製品・技術同士が、互いに収益を奪い合ってしまう現象）が起きかねないからである。

今後、メタネーションに取り組む都市ガス会社や関連企業は、異なるタイプの技術開発に向けて、どのように限られた経営資源を配分するかという難題に直面することになる。ただし、忘れてはならないのは、多様な選択肢があることは、リスクの分散につながる点である。革新的メタネーションに関して大阪ガスと東京ガスが違う方式に取り組んでいることは、日本のガス産業全体の観点からは、リスクを分散しているとも言えるのである。

## バイオメタネーションという選択肢

総合資源エネルギー調査会電力・ガス事業分科会電力・ガス基本政策委員会ガス事業制度検討ワーキンググループは、2023年6月に開催した第31回会合で、「都市ガスのカーボンニュートラル化について」と題する中間整理を取りまとめた（総合エネルギー調査会電力・ガス事業分科会電力・ガス基本政策小委員会ガス事業制度ワーキンググループ、2023）。この中間整理の一つの特徴は、都市ガスのカーボンニュートラル化におけるバイオメタンの重要性を強調した点にあるが、それとの関連で、「バイオメタネーション」について言及した点も注目される。

中間整理は、バイオメタンについて、「バイオメタンは、バイオガスを精製（二酸化炭素等を除去）し、メタンとしての純度を高めたものであり、海外ではRNG（renewable natural gas）と呼ばれることもある。原料となるバイオガスは、ごみ、下水汚泥、家畜排せつ物といったバイオマスをメタン発酵したものであり、その主成分はメタン約60%、二酸化炭素約40%である。既存の都市ガスインフラ・ネットワークが活用可能であり、需要家側での特別な燃料転換が不要である。バイオメタンの製造・ガス導管への注入は、国内外で実績があり、技術的に確立している」と述べている（3頁）。一方、バイオメタネーションについては、水素と$CO_2$から合成メタンを生成するメタネーションの一種と位置づけ、「メタネーション技術は、化学反応によるものと生物反応によるものに大別される。化学反応によるメタネーションは、触媒を用いたサバティエ反応に加えて、革新的メタネーションの技術開発に取り組んでいる。また、生物反応によるメタネーション（バイオメタネーション）は、触媒の代わりにメタン生成菌を用いる」と記している（4頁）。そのうえで、欧州の動向に触れて、「触媒を用いる化学的メタネーションとバイオメタネーションの両方の実証が見られるが、バイオエタノールプラントや下水処理等からのバイオガスからの二酸化炭素（$CO_2$）を用いるものも多く、欧州におけるメタネーションの実証の一部は、バイオメタン製造の補完又は一環として取り組まれている」と論じ（5頁）、欧州ではバイオメタネーションがバイオメタン製造の補完的役割を担っていることを明らかにしている。

今日の日本では、バイオメタネーションという概念は存在するが、バイオメタネーションという概念は確立されていない。そのことは、日本ガス協会が公表している「カーボンニュートラルチャレンジ２０５０アクションプラン」（２０２１年6月10日）からも窺い知ることができる。同協会はそのなかで、合成メタン90％、水素直接利用５％、バイオガスその他５％という２０５０年の都市ガス構成見通しを示しているが、バイオメタンについては「バイオガス」という表現で盛り込まれているものの、バイオメタネーションについては特段の言及がないのである（2頁参照）。

しかし、現実には、生物反応によるメタネーション（バイオメタネーション）は、化学反応によるメタネーションと並んで、重要な役割をはたしている。

２０２３年6月に開催されたメタネーション推進官民協議会で大阪ガスは、「２０３０年からの社会実装に向けたe-メタン製造に関する実現可能性の検討」と題する報告を行ったが、そのなかで、２０３０年代に実用化するメタネーションの主要な舞台はグリーン電力のコストが相対的に安価な海外になるとしたうえで、現在取り組んでいる次の五つのプロジェクトを紹介した。

①米国キャメロン（三菱商事・東京ガス・東邦ガスと提携、産業由来$CO_2$＋グリーン水素等、製造能力13万トン／年）。

②豪州（Santosと提携、産業由来$CO_2$＋グリーン水素等、製造能力6万トン／年）。

③ペルー（丸紅・ペルーLNGと提携、産業由来$CO_2$＋グリーン水素等、製造能力6万トン／年）。

④米国中西部（Tallgrass・Green Plainsと提携、バイオ由来$CO_2$＋ブルー水素［将来グリーン水素］、製造能力最大20万トン／年）。

⑤マレーシア（PETRONAS・IHIと提携、バイオマスガス化、製造能力6万トン／年）。

これらのうち①②③は化学反応によるメタネーション、⑤はバイオメタンに相当するが、④はバイオ由来$CO_2$を原料とする点でバイオメタネーションに近い。ここで注目すべきは、個別プロジェクトとして最大の製造規模に達するのが、バイオメタネーションに近い④であることだ。日本の都市ガス業界でメタネーションの象徴とみなされている①の製造能力は、④のそれに及ばないのである。

日本で世界を代表するメタネーション事例とみなされているAudiのe-gasプロジェクト（ドイツ・ヴェルルテ）も、触媒メタン化の技術を使うものの、隣接するバイオマス工場から$CO_2$供給を受けている点で、バイオメタネーションに近い。

化石燃料由来の$CO_2$を用いる化学反応によるメタネーションの実用化には、日本（利用）側が排出量ゼロとなるようなカウントルールの整備が難しいという、大きな関門がある。これに対してバイオメタネーションの場合には、原料の調達・確保さえできればよいのであり、カーボンニュートラルと国際的に認定されているバイオマス由来の$CO_2$を原料とするため、カウントルール自体を整備する必要がない。このメリットは大きい。わが国も、バイオメタン（バイオガス）とは別に、バイオメタネーションの概念を明確に設定し、メタネーション全体のなかでしっかりと位置づけるべき時期にさしかかっている。

## 国内メタネーションという選択肢

２０２３年６月に取りまとめられた中間整理である総合資源エネルギー調査会電力・ガス事業分科会電力・ガス基本政策委員会ガス事業制度検討ワーキンググループ（２０２３）のもう一つの特徴は、国内におけるメタネーションの重要性を強調した点にある。

この中間整理は、$CO_2$と水素から合成メタンを生成するメタネーションについて、「合成メタンの製造コストの大半を再エネ電気のコストが占めることから、大手ガス事業者等は、安価な再エネ電気（又は水素）が大量に入手できる海外で合成メタンを製造し、日本に輸入するビジネスモデルを志向しており、現在、安価な再エネ電気、原料（二酸化炭素、水（水素））、天然ガスパイプライン、LNG液化・出荷基地等の条件を満たす、海外の生産適地を幅広く調査している」と述べて（６頁）、ひとまず、事業地が海外になると見通している。しかし、一方では、「国内におけるメタネーションの検討・実証の類型としては、(ア)ガス事業者と地域の産業の連携により、工場から排出された二酸化炭素を回収し水素とメタネーションをして、都市ガス導管を通じて合成メタンを供給するモデル、(イ)清掃工場から排出される二酸化炭素を回収し水素とメタネーションし、地域のエネルギーとして再利用するモデル、(ウ)製鉄所の高炉においてカーボンリサイクルを行いコークスに代わる還元材として合成メタンを用いるモデル等がある」として（６頁）、国内メタネーションの可能性にも言及している。そして、「国内メタネーションの実用化にあたっては、水素又は再エネ電気の安価な供給確保が重要であるところ、今後の水素拠点の整備の進展によって、臨海部における関係者連携の下での国内メタネーションの進展も期待し得る」とも記している（６頁）。

２０２３年６月に開かれたメタネーション推進官民協議会の$CO_2$カウント・国内メタネーション実現共同タス

クフォースで、「中部圏におけるメタネーション地域連携について」と題する報告を行ったアイシン・デンソー・東邦ガスの3社は、国内メタネーションの必要性、緊急性を強く訴えた。その際力説したのは、次のような論点であった。

・グローバルに事業展開する製造業界として、海外顧客企業からのモノづくりのカーボンフットプリント（CFP）に対する要求が厳しさを増しており、対応は待ったなしの状況。

・国内でのモノづくり継続には、できるだけ早いタイミングでグローバルに価値が認証されたカーボンニュートラルなエネルギーが安定・安価に供給されることが必須。

・産業部門の需要家における熱需要の脱炭素化手段として、e-methaneはエネルギーとしての使い勝手の良さに加え、既存インフラ・利用技術・ノウハウの集積等の観点を踏まえると、他の脱炭素手段と比べても非常に魅力的な選択肢と認識。

・e-methaneのグローバルな価値認証においては、$CO_2$原排出者（回収側）と回収した$CO_2$由来のe-methane利用者（需要家）との間の環境価値の帰属に関する整理が重要。

・$CO_2$の循環利用により環境価値の帰属が明確になり、$CO_2$カウントに関する議論が不要となる$CO_2$循環型メタネーションモデルを考案。まずはアイシン、デンソー、東邦ガスの3社により、本モデルの簡易なフィージビリティスタディなどを実施。

・日本の製造業の生き残りにも繋がるものであり、今後のGX関連政策のなかでも、支援に向けた議論が必要。

ここでアイシン・デンソー・東邦ガスの3社が打ち出している$CO_2$循環型メタネーションモデルは、いわゆる「オンサイトメタネーション」を発展させたものである。これまでメタネーションは、都市ガス業界が主として進めるものと考えられてきた。しかし、2030年に1％というe-methane注入率の目標からわかるように、都市ガス事業におけるメタネーションは、すぐに進展するわけではない。それが本格化するのは、2030年代以降のことになるだろう。これに対してオンサイトメタネーションは、都市ガス事業におけるメタネーションに先行して、2020年代にも進行する蓋然性が高い。そう見通すのには理由がある。

それは、部品メーカーに対して、製造工程で$CO_2$を排出しないように求める最終製品メーカーからの圧力が強まっているからである。今後は、サプライチェーン全体でのカーボンフリー化を達成するため、$CO_2$を排出する工場からの部品供給は受け付けないという最終製品メーカーが増えるだろう。当初は、電気利用に関してRE100（使用電力の100％を再生可能エネルギーにより発電された電気で賄うこと）の実施を求めることから出発し、やがては、熱利用に関してもカーボンフリーの燃料の使用を要求するようになることは必至である。したがって、メタネーション等により自社工場のカーボンフリー化を実現することは、部品メーカーにとって死活問題となる。部品メーカーのあいだでオンサイトメタネーションへの期待が高まるのも、当然のことなのである。

アイシン・デンソー・東邦ガスの3社が取り組むのは、アイシンとデンソーの工場で回収した$CO_2$を東邦ガスの緑浜工場に陸送し、そこで水素とマッチングしてe-methaneを製造したうえで、それをアイシンとデンソーの工場で再利用する、オンサイトメタネーションを発展させた「$CO_2$循環型メタネーションモデル」である。国内メタネーションを地で行くモデルであり、都市ガス業界が主として進める海外メタネーションとは、明らかに異なる。われわれは、海外メタネーションという選択肢だけでなく国内メタネーションという選択肢にも、きちんと目を向けなければならない。

メタネーションは、熱の脱炭素化のカギを握る切り札である。そして、今のところ欧米諸国ではあまり重視されていない、日本固有のカーボンニュートラル施策でもある。その意味で、メタネーションは、「日本発」の切り札だと言える。

## 「日本発」「カーボンリサイクル燃料初」の切り札

メタネーションは、カーボンフリー水素と$CO_2$からカーボンリサイクル燃料を作る点で、グリーンLPガスを作るプロパネーションや合成液体燃料（e-fuel）の製造と共通している。しかし、推進のための官民協議会の設置が他よりも先行し、すでに活発な動きを示していることからわかるように、取組みの進展ぶりの点でメタネーションは、プロパネーションやe-fuel製造をリードしている。その意味で合成メタンは、「カーボンリサイクル燃料初」の切り札になろうとしている。

この「日本発」で「カーボンリサイクル燃料初」の切り札を有効に活用するためには、

(1) メタネーションの開発スピードを加速する、
(2) バイオメタネーションの位置づけを明確にする、
(3) 海外と国内の双方でメタネーションに取り組む、
(4) メタネーションにかかわる$CO_2$カウントの制度を整備する、

などの諸点が重要な意味をもつのである。

## グリーンLPガスの課題(1)：技術的困難性

都市ガスからLPガスに目を転じよう。

LPガスは、日本の約4割の世帯が使用する、必要欠くべからざるエネルギーである。しかし、そのLPガスも、使用時に$CO_2$を排出する化石燃料である以上、カーボンニュートラルなグリーンLPガスを開発しない限り、長期的には生き残ることができない。

グリーンLPガスの開発には、二つの大きな課題が存在する。

第1の課題は、技術的困難性がともなうことである。

日本LPガス協会が事務局をつとめた「グリーンLPガスの生産技術開発に向けた研究会」が2021年5月に公表した報告書（日本LPガス協会、2021）は、グリーンLPガスの製造技術にかかわる困難性について、以下のように述べている。

「メタン製造を目的とするメタネーション技術の応用に関しては、原料となる$CO_2$と水素からのメタン（$CH_4$）合成反応に特化した触媒を使用することや、合成そのものがメタンで止まってしまうプロセスであること、また著しい発熱反応であること等により、LPガス製造にそのまま応用することは、困難である」（91頁）。

「FT合成については、石油との関連性が強く、汎用性の高い技術であるものの、$C_3$、$C_4$の連鎖成長確率が0・6であるというプロセス技術的な制約を越えることが困難であり、さらに$CO_2$から$CO$への逆シフト反応を行う必要があるなど、目的生産物として$C_3$、$C_4$を選択的に求めるには、技術開発上のハードルが高い」（91頁）。

FT合成は、フィッシャー・トロプシュ法を用いて、一酸化炭素（CO）と水素から触媒反応により液体炭化水素を合成する技術である。また、$C_3$、$C_4$の3や4は、化合物の分子に含まれる炭素（C）の数を意味し、プロパンは$C_3$、ブタンは$C_4$に分類される。

「メタネーションの発展形であるSOEC共電解メタネーションからは、LPガスの併産も可能であることが示されたが、将来的なグリーンLPガスの有効な手段として期待出来るものの、2030年に向けた早期の社会実装に間に合わせるには、基礎研究の分野を含め、種々の課題がある」（91頁）。SOECは、固体酸化物形電解セルのことである。

「グリーンLPガスの生産技術開発に向けた研究会」の報告書は、グリーンLPガスの製造に関する技術的困難性をこのように指摘したうえで、いわば「次善の策」として、「バイオ原料からグリーンDME（ジメチルエーテル）を合成し、それをLPガスに混和する方法」や、「$CO_2$ないしCOと水素を原料として用い、同一反応塔内でのメタノールからDMEへの改質を経て、LPガス合成を行う方法」を推奨した（91頁参照）。この推奨が実行に移されたことについては、後述するとおりである。

## グリーンLPガスの課題(2)：担い手の不在

グリーンLPガスの開発が抱える第2の課題は、明確な担い手が存在しないことである。

わが国が2050年までにカーボンニュートラルを達成するためには、LPガス業界が取り組むグリーンLPガスの開発だけでなく、さまざまな分野でイノベーションを実現しなければならない。電力分野では石炭火力のアンモニア火力への転換、LNG火力の水素火力への転換、全固体電池の開発と蓄電池の大幅コスト削減などが求められる。非電力分野ではコークス還元から水素還元への製鉄プロセスの革新、水素と二酸化炭素からの合成メタンの生成（メタネーション）、同じく水素と二酸化炭素からの合成液体燃料（e-fuel）の生成などが必要となる。炭素除去分野でも、大気中から二酸化炭素を直接回収するＤＡＣ（Direct Air Capture）と回収した二酸化炭素を貯留するＣＣＳ（Carbon dioxide Capture and Storage）とを組み合わせたＤＡＣＣＳなどが不可欠となるだろう。

これらのイノベーションを実現するには、多様な技術を駆使し巨額の資金を投入しなければならない。そうだとすれば、イノベーションの担い手は、技術力と資本力を有する大企業に限定されることになる。約２００に及ぶ日本の都市ガス事業者のなかで、メタネーションに本格的に取り組んでいるのは東京ガス・大阪ガス・東邦ガスの大手3社に限られる事実は、そのことを雄弁に物語っている。

問題は、この「技術力と資本力を有する大企業」が、日本のＬＰガス業界には見当たらないことにある。日本ＬＰガス協会の主要メンバー企業であり、日本グリーンＬＰガス推進協議会を結成してグリーンＬＰガス開発をめざす動きを主導してきたアストモスエネルギー、ＥＮＥＯＳグローブ、ジクシス、ジャパンガスエナジー、岩谷産業の5社も、あくまで業態は輸入元売であり、十分な製造部門をもつとは言えない。全国ＬＰガス協会を構成する小売各社と比べれば企業規模は大きいが、それでも日本の他のエネルギー業界（都市ガス業界、石油業界、電力業界）のトップカンパニーの規模には及ばない。このような状況のもとで、明確な中心的担い手を作り出すことは、グリーンＬＰガス開発を進めるうえで、避けて通ることはできない重要課題なのである。

そのためには、まずＬＰガス事業者間の協業が必要となる。そのうえで、都市ガス事業者や石油会社との連携も求められよう。さらには、世界市場でのＬＰガスの供給者であるサウジアラムコやアメリカのエンタプライズ社などの協力が、重要な意味をもつことになるかもしれない。

## グリーンＬＰガス官民推進検討会の発足と活動

グリーンＬＰガス開発への使命感とその困難性に関する危機感に突き動かされる形で、２０２０年11月以降、元売業者がつくる日本ＬＰガス協会や小売業者が集う全国ＬＰガス協会は、研究会や検討会を設けるなどして、グリーンＬＰガスをめざす取組みを活発化してきた。また、２０２１年10月には、先述したＬＰガス輸入元売の大手５社が中心となって、「日本グリーンＬＰガス推進協議会」を設立した。これらの動きをふまえて２０２２年７月、「グリーンＬＰガス推進官民検討会」（以下、「官民検討会」と略す）が産声をあげることになった。

官民検討会には、早稲田大学の関根泰教授をはじめとして、経済産業省、ＮＥＤＯ（新エネルギー・産業技術総合開発機構）、産業技術総合研究所（産総研）、日本ＬＰガス協会、全国ＬＰガス協会、古河電気工業、クボタ、日本ガス石油機器工業会の各代表が委員として参加している。座長は、筆者（橘川）である。

この官民検討会の発足は、ＬＰガス産業のカーボンニュートラル化やグリーンＬＰガスの開発を推進するうえで、重要な一歩となる。ただし、先行して２０２１年６月にスタートした都市ガスのメタネーション推進官民協議会と比べると、ＬＰガスの官民検討会は二つの点で異なっていることも事実である。

一つは、政府の関与がやや軽いことである。事務局をつとめるのは、メタネーション推進官民協議会では経済産業省資源エネルギー庁電力・ガス事業部ガス市場整備室であるのに対して、ＬＰガスの官民検討会では民間の業界団体（日本ＬＰガス協会）である。メタネーションの場合のように「官民協議会」という呼称は用いず、グリーンＬＰガスの場合には「官民検討会」と名乗っているのも、この点を配慮したからであろう。

もう一つは、メンバーがそれほど多くないことである。メタネーション推進官民協議会には、発足時点で、21社も民間企業が参加した。その顔ぶれは、都市ガス会社（東京ガス・大阪ガス・東邦ガス）やすでにメタネーションに取り組んでいるＩＮＰＥＸ・日立造船・ＩＨＩだけでなく、電力会社（東京電力・関西電力・ＪＥＲＡ）、鉄鋼メーカー（日本製鉄・ＪＦＥスチール）、セメントメーカー（三菱マテリアル）、部品メーカー（アイシン・デンソー）、海運会社（日本郵船・商船三井）、エンジニアリング会社（日揮・千代田化工建設）、総合商社（三菱商事・住友商事）、そしてクレジットを使ったカーボンニュートラルＬＮＧの供給にかかわるシェル・ジャパンであり、きわめて多彩なメンバーであった。一方、ＬＰガスの官民検討会の場合には、供給サイドのメンバーは充実しているが、需要サイドのメンバーは手薄だと言わざるをえない。

とは言え、ＬＰガスの官民検討会には、実際にグリーンＬＰガスの開発に取り組む主要な当事者が、ほぼ顔をそろえている。また、経済産業省を代表する委員がメタネーション推進官民協議会とは異なり部長級であり、定光裕樹経済産業省資源エネルギー庁資源・燃料部長が正式委員となっている点も心強い。

２０２２年11月に開催されたグリーンＬＰガス推進官民検討会の第２回会合では、現在取り組まれているグリーンＬＰガスに関する技術開発の到達点と課題が、網羅的に報告された。さながら、グリーンＬＰガス技術の棚卸しの様相を呈したのである。

この第２回会合で行われた報告のタイトル、報告者・報告組織を報告順に列記すると、

(1)「グリーンＬＰガス技術総論と早大が取り組むバイオガスからのグリーンＬＰガス合成」（早稲田大学・関根泰教授）

(2)「中間冷却（ＩＴＣ）式多段ＬＰガス直接合成法」（北九州市立大学・藤元薫特任教授）

(3)「カーボンリサイクルＬＰガスの製造技術の研究開発」（産業技術総合研究所）

(4)「2030年の社会実装に向けたグリーンLPガスの技術開発」(古河電気工業)
(5)「カーボンリサイクルLPガス製造技術とプロセスの研究開発」(ENEOSグローブ)
(6)「バイオマス地域資源循環システムの開発(稲わら等からのバイオマスを原料としたLPガスガス合成)」(クボタ)
(7)「高知県におけるグリーンLPガスの地産地消の実現に向けて」(高知県)
(8)「グリーンLPガスに関する世界の動向」(野村総合研究所)

となる。

グリーンLPガス推進官民検討会の委員をつとめる早稲田大学・関根教授の整理によれば、LPガスのグリーン化を実現する方法は、「$CO_2$と水素から」のアプローチと、「バイオマスから」のアプローチとに大別される。二つのアプローチには原理的に共通する部分もあり、単純な2分法はとれないのかもしれないが、社会実装のあり方の違いを考慮に入れると、この区分には意味がある。

筆者の理解によれば、第2回会合で行われた報告のうち(2)(3)(5)は、「二酸化炭素と水素から」のアプローチに主として関連していた。一方、(1)(4)(6)(7)(8)は、「バイオマスから」のアプローチと呼びうるものであった。

「$CO_2$と水素から」のアプローチには、水素の調達コスト(製造コスト・輸入コスト)をどう引き下げるか、二酸化炭素の回収コストをいかに削減するかという問題がある。「バイオマスから」のアプローチには、バイオマスの回収コストをどう引き下げるか、収率をいかに高めるかという問題がある。二つのアプローチとも克服しなければならない課題は多いが、第2回会合での諸報告を聞いて、グリーンLPガスに関する技術開発は着実に進展しているとも感じた。グリーンLPガス推進官民検討会の発足から、まだ日は浅い。今後の活動の深化に期待したい。

## 「二酸化炭素と水素から」のアプローチ

前述のとおり、2022年11月に開かれたグリーンLPガス推進官民検討会の第2回会合では、LPガスのグリーン化を実現する方法として、「$CO_2$と水素から」のアプローチと「バイオマスから」のアプローチが示された。同会合で行われた八つの報告のうち、「バイオマスから」のアプローチではないという意味で「$CO_2$と水素から」のアプローチとみなしうるものが三つあった。

一つ目は、北九州市立大学の藤元薫特任教授による、中間冷却式多段LPガス直接合成法に関する報告である。同特任教授は、従来から取り組んできたメタノール、DME（ジメチルエーテル）合成からLPガス合成へ展開する研究の概要を説明したうえで、日本グリーンLPガス推進協議会からの委託研究の内容を説明した。その委託研究は、藤元教授が開発したハイブリッド触媒反応とLPガス触媒反応との2段階反応を行うもので、リサイクル$CO_2$と再生可能エネルギー由来の水素とからLPガスを合成するものである。反応の効率向上のため、水蒸気を除去する目的でインタークーラーを設置するなどの工夫も施されている。

二つ目は、産業技術総合研究所（産総研）による、NEDO事業に採択された$CO_2$からのカーボンリサイクルLPガス合成技術に関する報告である。産総研は、国のカーボンニュートラル政策のなかでLPガスやDMEを含むガス燃料のグリーン化が重要な意味をもつことを明らかにしたうえで、現在取り組んでいるNEDO事業の概要について説明した。そして、同事業による技術開発が進めば、含酸素燃料であるDMEを中間体としてLPガスを合成するため省水素となり、効率的で高収率のプロパン、ブタンが可能となることが期待されるとした。

三つ目は、ENEOSグローブによる、NEDO委託事業「カーボンリサイクルLPG製造技術とプロセスの研究開発」に関する報告である。ENEOSグローブが富山大学および日本製鉄とともに大崎クールジェン（広島県）で取り組む同事業では、IGCC（石炭ガス化複合発電）に携わる大崎クールジェンで分離・改修した$CO_2$と外部調達した水素とを使って、FT合成によってLPガスを合成する。FT合成とは、FT法（フィッシャー・トロプシュ法）により、合成ガス（一酸化炭素と水素の混合ガス）から触媒反応を用いて軽油などの石油代替燃料、アルコール、オレフィンなどの基礎化学品を合成する方法のことである。このNEDO委託事業では、プロパン、ブタン以外の連産品の活用もめざしている。

## 「バイオマスから」のアプローチ

一方、LPガス推進官民検討会の第2回会合で行われた八つの報告のうち、「バイオマスから」のアプローチとみなしうるものが五つあった。

一つ目は、古河電気工業による、NEDOのGI（グリーン・イノベーション）基金事業「化石燃料によらないグリーンLPガス合成技術の開発」に関する報告である。この事業は、革新的触媒プロセスを用いて、家畜糞尿等の有機系廃棄物からグリーンLPガスを合成するもので、2030年には実証プラントで年産1000トンを実現することをめざしている。

二つ目は、早稲田大学の関根泰教授による、早稲田大学が開発に取り組むバイオマスからグリーンLPガスを合成する技術に関する報告である。この技術は、セルロースを原料とし、原料水素を必要としない点に特徴がある。同大学では、革新的合金触媒を用いたグリーンLPガス合成を100℃台で効率よく進める技術を開発し、環境省のプロジェクトとして、クボタや高知県・高知大学と連携し地域分散型の実証を行っている。

三つ目は、クボタによる、稲わら等からのバイオガスを原料としたＬＰガス合成に関する報告である。クボタは、日本で年間約７５０万トン発生する稲わらを原料としてバイオマス燃料を製造し、残渣はバイオ液肥として農地還元することによって、資源循環型システムを構築しようとしている。水田にすき込まれた稲わらからはメタンが自然発生し、その排出量は$CO_2$換算で年間１２００万トンにのぼって、わが国における農業分野での温室効果ガスの最大発生源となっている。

四つ目は、高知県による、グリーンＬＰガスの地産地消をめざす環境省プロジェクトに関する報告である。家庭の８割程度がＬＰガスを利用する高知県では、早稲田大学等と連携して、県内に豊富に存在する木質系やマリン系（藻等）のバイオマス資源を活用するグリーンＬＰガス合成をめざしている。

五つ目は、野村総合研究所による、グリーンＬＰガスをめぐる世界の動向に関する報告である。この報告は、欧州を中心として海外では、植物油・工業用油脂・廃油・残渣等の原料を水素化処理することによってバイオＬＰガスを直接生産することが一般的である、と指摘した。

## 地域からのカーボンニュートラル化を担うグリーンＬＰガス

前々項と前項では、２０２２年11月に開かれたグリーンＬＰガス推進官民検討会の第２回会合で行われた八つの報告の概要を振り返った。これらの報告を聞いて、克服しなければならない課題は多いが、グリーンＬＰガスに関する技術開発は着実に進展していると感じた。

ＬＰガスのグリーン化を実現する方法は、「$CO_2$と水素から」のアプローチと「バイオマスから」のアプローチとに大別されるが、この二つのアプローチでは、社会実装のあり方が異なる。グリーンＬＰガスの量産を可能にする「$CO_2$と水素から」のアプローチは、例えばコンビナートのような工業地域を舞台に集中型で進展する蓋然性が高い。これに対して、原料バイオマスの賦存状況から少量生産を余儀なくされる「バイオマスから」のアプローチは、地域に密着した分散型の展開を示すだろう。

ＬＰガス以外のエネルギー諸分野のカーボンニュートラル化は、いずれも集中型で進行するだろう。各業界が志向するカーボンニュートラル化への「切り札」は、電力業界の場合には石炭火力のアンモニア火力への転換ないしＬＮＧ火力の水素火力への転換、都市ガス業界の場合には合成メタンを生成するメタネーション、石油業界の場合には合成液体燃料の製造である。これらの基盤となる燃料アンモニア、水素、合成メタン、合成液体燃料は、生産コストの大宗を占めるグリーン電力（再生可能エネルギー由来の電力）の料金が日本国内より海外の方が割安であるため、基本的には国外で製造することになるだろう。ただし、それらが輸入され陸揚げされるのは、コンビナート等の工業地域の港湾である。そこを起点にして社会実装が進むであろうから、集中型の進展を見せると言いうるのである。

グリーンＬＰガスについても、「$CO_2$と水素から」のアプローチによるものは、他のエネルギーと同様に集中型の社会実装の道を歩むだろう。しかし、「バイオマスから」のアプローチによるグリーンＬＰガスは、それとは異なる道をとる。地域に密着した分散型社会実装の道である。

カーボンニュートラルを実現するうえで、ＬＰガス産業は、技術的困難性と担い手の不在という、他のエネルギー産業にはない固有の難問を抱えている。一方で、ＬＰガス産業は、他のエネルギー産業とは異なり、地域からのカーボンニュートラル化の担い手となりうる。われわれは、この両面に注目する必要がある。

## 古河電気工業と北海道鹿追町の挑戦

地域からのカーボンニュートラル化の取組みは、どこで始まるだろうか。現時点で可能性が高いのは、北海道の鹿追町である。

筆者は、2023年8月、北海道の鹿追町環境保全センター内にある、グリーンLPガスの生成をめざすプロジェクトのベンチプラント建設予定地を見学する機会を得た。このプロジェクトは、先に「バイオマスから」のアプローチの一つとして紹介した、古河電気工業によるNEDOのGI基金事業「化石燃料によらないグリーンLPガス合成技術の開発」を具体化したものである。より厳密な言い方をすれば、2022年4月にNEDOのGI基金事業「$CO_2$等を用いた燃料製造技術開発プロジェクト　化石燃料によらないグリーンなLPガス合成技術の開発」に採択された、古河電気工業などの「革新的触媒・プロセスによるグリーンLPガス合成技術の開発・実証」の具現化である。なお、GI基金とは、日本政府が「2050年カーボンニュートラル」実現のため、国立研究開発法人であるNEDOに造成した2兆円規模の政策的資金のことである。

この古河電気工業のプロジェクトは、金属触媒の固定技術を応用し、家畜の糞尿から得られるバイオガス（主成分は$CO_2$とメタンガス）をグリーンLPガスに変換するものである。従来は活性が低いため短時間しか持続しなかった触媒反応を大幅に改善した点に、特徴がある。

カギを握る金属触媒は、「ラムネ触媒」と呼ばれる。古河電気工業が育んできたメタルとポリマーの製造・加工技術を用いて、多孔質材料の内部に微小サイズの金属触媒を固定した姿がラムネのビンに似ていることから名づけられた。この触媒を使うことによって、バイオガス（$CO_2$、メタン）を合成ガス（一酸化炭素、水素）に変換するドライリフォーミング反応において、高活性と長寿命を実現することができる。この合成ガスから、カーボンフリーの合成ＬＰガス（グリーンＬＰガス）を生成するのである。

ＧＩ基金を使って古河電気工業は、北海道大学および静岡大学と連携して、生成率の高いグリーンＬＰガス合成技術の確立に力を入れている。そして２０３０年には、グリーンＬＰガスを年間１０００トン製造する技術の実証を完了する予定である。また、そこにいたる一つのステップとして、年産２００～３００トン規模のベンチプラントを２０２５年ごろまでに稼働させようとしている。

古河電気工業は、ＬＰガス事業に関しては、ある意味で「素人」の会社である。したがって、グリーンＬＰガスの生成実証にあたってはエコシステムを構築することが、重要な意味をもつ。古河電気工業は、ベンチプラントの建設予定地として、家畜糞尿や家庭生ごみを発酵させるバイオガスプラントをもつ北海道十勝の鹿追町環境保全センターに白羽の矢を立てた。同センターを運営する鹿追町と古河電気工業は、２０２２年に包括連携協定を締結した。また、古河電気工業は、グリーンＬＰガスの社会実装を視野に入れて、ＬＰガス事業の「玄人」であるアストモスエネルギーおよび岩谷産業とも連携を進めている。

鹿追町環境保全センターは、中鹿追地区と瓜幕地区との2カ所に分かれて立地する。これらのうち古河電気工業がグリーンＬＰガスの生成実証のベンチプラントを建設しようとしているのは、中鹿追地区の施設である。

現地を訪れて、古河電気工業がなぜ中鹿追地区の施設を選んだのか、よくわかった。２００７年に稼働した同施設には、約５・１５ｈａの敷地に、バイオガスプラントと堆肥化プラント、コンポスト化プラントが並ぶ。堆肥化プラントでは、乳牛糞尿および生ゴミの水分を調整し、自動攪拌機を使って堆肥化する。コンポスト化プラントでは、農業集落排水汚泥、合併浄化槽汚泥、事業系生ゴミをタイヤシャベルによる切り返しを行って、堆肥化する。そして、敷地の大半を占めるバイオガスプラントは、原料（乳牛糞尿）運搬車輌を受け入れるトラックスケール、原料槽、箱型発酵槽（4基）、円柱型発酵槽（2基）、ガス発電機、バイオガス精製圧縮充填装置、温水ボイラ、蒸気ボイラ、消化液貯留槽、余剰熱供給施設、育苗用ハウス、マンゴー用ハウス、チョウザメ育成施設、水素製造供給施設、および研究棟によって構成される。乳牛糞尿等の計画処理量は、1日当たり94・8トンである。

鹿追町環境保全センターは、これまでFIT（固定価格買取制度）を活用して、売電を行ってきた。しかし、まもなく、FITの有効期限は終了する。そこで鹿追町は、売電以外のビジネスモデルを模索することになった。従来からの堆肥利用に加えて、水素や余剰熱を活用したマンゴーのハウス栽培、チョウザメの育成、水素ステーションの運営などがそれであるが、とくに注目するようになったのは、バイオガスを原料とするLPガスや都市ガス（メタンガス）の生成であった。

一方、古河電気工業は、グリーンLPガス生成の原料となるバイオガスのきちんとした供給源を探していた。鹿追町は、環境保全センター等の取組みなどが評価されて、環境省が認定する「脱炭素先行地域」に、2022年の第1回選考で早々と選ばれてもいる。鹿追町環境保全センターは古河電気工業が探し求めていた「きちんとした供給源」そのものだったのであり、日本最初のグリーンLPガス生成のベンチプラントが同センターの中鹿追地区の施設で建設されようとしているのは、必然の帰結なのである。

見学当日、バスで通りがかった帯広駅前の気温計は36℃をさしていた。猛暑をおしての見学となったが、中鹿追地区の鹿追町環境保全センターの現場には、その暑気を吹き飛ばすような熱気に包まれていた。それは、まがいもなく、パイオニア精神がもたらす熱気であった。

## 合成液体燃料でも官民協議会が発足

ここまで、合成燃料に関して、合成メタンとグリーンＬＰガスを取り上げ、やや詳しく論じてきた。次に、合成液体燃料に目を転じよう。

２０２２年９月16日、「合成燃料（e-fuel）の導入促進に向けた官民協議会」が、ようやく発足した。「ようやく」という表現を用いたのは、合成液体燃料に関する官民協議会発足のタイミングが、水素、燃料アンモニア、合成メタンなどの場合に比べて、かなり遅れたからである。

とは言え、ともかくも合成液体燃料についても官民協議会が発足したことは歓迎すべきである。なぜなら、合成液体燃料こそ、石油産業がカーボンニュートラルを実現するための中心的な方策、「プランＡ」にほかならないからである。「e-fuel」と呼ばれる合成液体燃料が主役となるのは、「パワー・トゥ・リキッド」という方法で、再生可能エネルギー由来の電力を使って水を電気分解して得た水素と$CO_2$とを合成して生成する、カーボンニュートラルな液体燃料だからである。

合成液体燃料は、カーボンニュートラル達成後の時期にも、航空機用のみならず、船舶用、大型車両用、商用車用として広く使用され続けると見込まれている。もちろん、それ以外の燃料や原料としての利用も継続するだろう。その理由は、二つある。

一つは、液体燃料が、エネルギー密度の高さの点で秀でていることである。液体燃料の「使い勝手の良さ」は、気体燃料や固体燃料とは比べものにならない。

しかし、液体燃料がいくら使い勝手が良くても、これまでのように、使用時に$CO_2$を排出しっ放しでは、カーボンニュートラルの時代に生き残ることはできない。そこで、合成液体燃料がカーボンニュートラルな燃料であるという、もう一つの理由が重要になる。

合成液体燃料であっても、使用時には$CO_2$を排出する。しかし、製造時に$CO_2$を吸収することによって相殺されるとみなされ、カーボンニュートラルな燃料として取り扱われるのである。

現在使われている石油系燃料を合成液体燃料に置き換えることができれば、街のSS（サービスステーション）を含む既存の石油インフラの多くを、そのままの形で活用することが可能になる。カーボンニュートラルを達成するには、エネルギーコストの相当程度の上昇が避けられない。コスト上昇を抑えるためには、さまざまなイノベーションを実現しなければならないが、それとともに、やるべきことがもう一つある。それは、既存インフラの徹底的な活用である。既存の石炭火力を使い倒す燃料アンモニアの使用が電力業において、既存のガスインフラを使い倒すメタネーションが都市ガス産業において、それぞれカーボンニュートラル化への決め手となっているように、石油産業においても、既存の石油インフラを使い倒す合成液体燃料が、カーボンニュートラル化の決め手となる。カーボンニュートラルへ向けた石油産業の「プランA」が合成液体燃料になるのは、このためでもある。

ここまで述べてきたように重要な意味をもつ合成液体燃料ではあるが、社会実装のためには課題も多い。官民協議会の発足が出遅れた背景には、石油業界の足並みが必ずしもそろっていない、石油業界と自動車業界との調整が簡単には進まない、などの事情がある。

それだけではなく、先行するメタネーションの官民協議会の検討を通じて浮かび上がってきた、合成燃料固有の課題も存在する。ともに水素と$CO_2$とを合成して生成する合成メタンと合成液体燃料は、合成燃料として一括視することが可能である。

合成燃料固有の課題としては、まず、使用時に$CO_2$を排出するため、カーボンニュートラル燃料として国際的に認証されるには手間暇がかかるという問題がある。また、合成燃料による$CO_2$削減実績の帰属先を排出側にするのか利用側にするのかが決まっていない、という問題もある。

これらの課題を克服して合成液体燃料の社会実装を実現するには、官民の力を合わせた積極的な取組みが求められる。

## チリ最南端で見た合成液体燃料（e-fuel）社会実装への幕開け

2023年8月、筆者は、羽田から11時間半飛行機に乗ってアメリカのヒューストンへ行き、そこから9時間半乗り継いで、チリの首都のサンティアゴに向かった。さらに国内便で3時間費やして、南緯53°の町、プンタ・アレーナスへ着いた。日本から最も遠い国チリの、しかも最南端に位置するハルオニの合成液体燃料（e-fuel）製造装置を見学する機会を得たのである。見学先としてめざしたのは、マゼラン海峡に臨むプンタ・アレーナスの郊外にある、本格的なものとしては、世界最初のe-fuelプラントである。

距離の遠さもさることながら、38℃のヒューストンから2℃のプンタ・アレーナスへの「温度差攻撃」も体にこたえた。しかし、それらすべてを吹き飛ばす、すばらしい経験となった。

ハルオニプラントの起点となるのは、出力3・7MWの1基の風力発電機である。世界に名の知られた「パタゴニアの風」を受けて、風車は順調に回っていた。風は通常、太平洋から大西洋に抜けるとのことであったが、見学当日は、逆方向の風が吹いていた。風力発電機の稼働率は、なんと65％に達すると言う。日本の陸上風力発電の平均稼働率の3倍以上の高水準である。この風力発電機が生み出す電力のコストは、2・4米セント／kWhにとどまる。

この点は、ハルオニプラントの競争力の大きな源泉となっている。

風力で得られた電力を使って、水を電気分解する。そこで作られた純度の高い水素を二酸化炭素（$CO_2$）と合成させてメタノールを製造し、さらには合成メタノールから合成ガソリンを作り出す。これが、ハルオニプラントの基本的な工程である。

ハルオニプラントを訪れた当日、$CO_2$は、アルゼンチンからローリー輸送されたバイオマス由来のものを使っていた。したがって、この日製造されていた合成メタノールや合成ガソリンは、文句なしのカーボンニュートラル燃料だったことになる。ただし、たとえ化石燃料由来の$CO_2$を用いていたとしても、製造過程での吸収量と使用過程での排出量とが等しくなる（オフセットされる）点から、ハルオニプラントで製造されるe-fuelがカーボンニュートラル燃料であることには、変わりがない。加えて、2024年には大気中の$CO_2$を直接回収するDAC（Direct Air Capture）設備を導入し、完全なカーボンニュートラル燃料の製造をめざすとのことである。

ハルオニプラントが運転を開始したのは2022年であるから、設備はみなピカピカで新しかった。パイロットプラントなので小粒ではあるが、合成メタノールの製造装置は、パイオニア精神を体現したたたずまいを見せており、その前に立つと、身ぶるいするような感動を覚えた。流動床方式をとるM to G（メタノール→ガソリン）装置は、思ったより大きかった。今後、M to J（メタノール→ジェット燃料）やM to D（メタノール→ディーゼル）に展開する場合には、専用の装置がさらに付加されると聞いた。

ハルオニプラントを運営するのは、チリのHIF（Highly Innovative Fuels）Global社。同国の独立系電力会社AMEが74%を出資する、新鋭企業である。ドイツの自動車メーカーであるポルシェも、出資している。

今回の見学では、HIF Global社のCEOであるCésar Norton氏が現場で、陣頭に立って説明してくださった。氏は、チリやペルー、アルゼンチンで長年、天然ガス等のエネルギー事業に携わってきた経歴をもち、2008年に誕生したAME社の創設者でもある。

HIF Global社は、チリのハルオニプラントだけでなく、今後は、アメリカのテキサスやアラスカ、オーストラリアのタスマニアなどでも、e-fuelプラントを建設する予定である。そして、とりあえずは、e-fuelの社会実装を世界にPRするため、2023年11~12月にUAE（アラブ首長国連邦）のドバイで開催されるCOP28（国連気候変動枠組条約第28回締約国会議）の会場でも、ブースを開設すると聞いた。

HIF Global社は、2023年4月、出光興産とMOU（基本合意書）を締結し、戦略的パートナーシップを構築することをめざしている。出光興産は、このMOU締結を伝えた2023年4月5日のニュースリリースのなかで、今後、HIF Global社と共同で取り組む可能性がある事業として、海外プロジェクトからの合成燃料調達と日本国内への供給、国内外における合成燃料製造設備への共同出資、国内で回収した$CO_2$の国際輸送と原料としての活用、の3点をあげている（出光興産「HIF Global社との合成燃料（e-fuel）分野における戦略的パートナーシップに関するMOU締結について」参照）。

日本政府は、2023年2月に閣議決定した「GX（グリーントランスフォーメーション）実現に向けた基本方針」のなかで、e-fuelやe-methane（合成メタン）、SAF（持続可能な航空燃料）などを、カーボンリサイクル燃料として高く位置づけ、政策支援の対象の一つに選定した。この閣議決定は、同年5月には、「脱炭素成長型経済構造への円滑な移行の推進に関する法律」（GX推進法）として法制化された。

e-fuelなどのカーボンリサイクル燃料は、水素や燃料アンモニアとは異なり、既存のインフラをそのまま活用できるという特徴を有する。カーボンニュートラルやGXをめざす諸施策は高コストになることが予想されるから、既存インフラ活用によってコストをある程度抑制できるカーボンリサイクル燃料の特徴は、重要な意味をもつ。

官民協議会の発足に関して合成メタンやSAFの後塵を拝した事実が示すように、これまでの日本におけるe-fuel社会実装の取組みには、やや出遅れ感があった。HIF Global社のハルオニプラントが運転を開始したこと、そのHIF Global社と出光興産がMOUを締結したことは、その遅れを取り戻す貴重な突破口となるだろう。



## SAF（持続可能な航空燃料）

e-fuelよりも早く社会実装が進みそうなカーボンリサイクル燃料としては、SAF（Sustainable Aviation Fuel）をあげることができる。日本の石油業界は、すでに利用しているガソリン代替のバイオエタノールや軽油代替のバイオディーゼルに加えて、持続可能な航空燃料として、バイオ由来のSAFの導入を進めようとしている。SAFは、ICAO（国際民間航空機関）の進めるCO$_2$削減枠組の達成にとって大きな意味をもつ。

SAFに関しては、e-fuelの場合よりも5カ月先行して2022年4月に、導入に向けた官民協議会が発足した。その第1回会合で資源エネルギー庁は、

(1) 早期の市場確立が期待できるATJ技術（触媒技術を利用してアルコール［エタノール等］から製造する技術）、

(2) 多様な原料利用の可能性があるガス化・FT合成技術（木材等を水素と一酸化炭素に気化し、ガスと触媒を反応させて製造する技術）、

(3) カーボンリサイクル技術を活用した微細藻類の大量培養技術とともに、抽出した油分（藻油）等を高圧化で水素化分解して製造するHEFA技術、

という三つのSAF生成技術の開発に力を入れる方針を示した（経済産業省資源エネルギー庁、2022：13頁）。そし

て経済産業省は、２０２２年5月には、日本の空港で国際線の航空機に給油する燃料の1割をＳＡＦにすることを石油元売会社に義務づけると発表した。

一方で、バイオ由来が中心のＳＡＦは、量的制約もあり、石油産業におけるカーボンニュートラル実現の主役にはなりえないことも、否定しがたい事実である。石油産業のカーボンニュートラル化の「プランＡ」は、あくまでe-fuelなのである。

## 合成燃料開発に共通する課題

ここまで、合成メタン（e-methane）グリーンLPガス、合成液体燃料（e-fuel）などの合成燃料について論じてきた。最後に、合成燃料開発に共通する課題について、まとめておこう。

合成燃料開発に共通する第1の課題は、カーボンニュートラルな燃料としての国際認証を獲得することである。水素やアンモニアと異なり、合成燃料は使用時に$CO_2$を排出する。製造時に$CO_2$を吸収するから排出分は相殺されるわけだが、カーボンニュートラル燃料として国際認証されるのは、水素やアンモニアに比べてハードルが高い。また、合成メタンやグリーンLPガスについては、先進国のなかで力を入れているのは日本だけだという事情も、国際認証を難しくしている。

合成燃料開発に共通する第2の課題は、$CO_2$削減実績を排出側に帰属させるか利用側に帰属させるかという問題に解決を与えることである。ここで言う「排出側」とは合成燃料製造で使う$CO_2$を供給する「出し手」のことであり、「利用側」とは合成燃料を実際に利用するガス事業者・石油事業者等の需要側、「受け手」のことである。$CO_2$の削減実績は、今後、大きな経済的メリットをもたらすことが予想されるので、それがどちらに帰属するかは、大きな意味をもつ。この問題は、合成燃料推進に取り組むそれぞれの官民協議会や官民検討会でも、重要な論点の一つとなっている。

第3の共通課題は、これが最大の課題であるが、コストを低減することである。現在、日本では、カーボンニュートラルの達成へ向け、合成燃料、水素、アンモニアなどの次世代燃料が、実用化をめざしてしのぎを削っている。日本政府は、これらの次世代燃料に関し、LNG（液化天然ガス）との「値差補てん」の資金援助を行って、技術革新や大規模化によるコスト削減のきっかけとしたいと考えている。その場合、どの次世代燃料が政策支援で優遇されるかは、社会実装の蓋然性の大小によって決まる。より早く、より確実に社会実装される燃料ほど、優先順位が高まるのである。この「値差補てん」の資金援助に関して、合成燃料は、水素、アンモニアにやや遅れをとっている。

ここで留意する必要があるのは、「GX実現に向けた基本方針」において、カーボンリサイクル燃料（合成燃料）が、水素・アンモニアに比べて、やや低い評価を受けている点である。そのことは、経済産業省が向こう10年間の投資規模見通しについて、水素・アンモニアに関しては約7兆円以上としているのに対して、カーボンリサイクル燃料に関しては約3兆円以上にとどめている事実に、端的な形で示されている（前掲の表2-5参照）。

# 第7章 需要サイドからのアプローチ

## 省エネルギーと地域の役割

### 「2035年温室効果ガス2019年比60%削減」の衝撃

2023年5月に広島で開催されたG7（先進7カ国首脳会議）に先立って、同年4月には先進7カ国の気候・エネルギー・環境担当大臣会合が札幌で開催された。この札幌会合について多くのメディアは、「石炭火力廃止の時期が明示されなかった」とか、「原子力が選択肢の一つとして認められた」とか、「天然ガスも長期的な削減対象に含まれた」とかに重点をおいて、報道を行った。しかし、これらの報道は、いずれも「的外れ」だと言わざるをえない。取り上げた論点に、目新しい内容は何も含まれていないからである。

先進7カ国の気候・エネルギー・環境担当大臣による札幌会合の「肝（きも）」は、別なところにあった。同会合の共同声明が、2035年の温室効果ガス（GHG）排出削減目標について、「2019年比60%減」という数値に言及した（「G7気候・エネルギー・環境大臣会合コミュニケ」14頁）ことこそが、「肝心要（かんじんかなめ）」なのである。

今のところ、経済産業省や環境省の関係者は、この「2035年GHG排出19年比60%削減」目標は「国際公約ではない」と言い張っている。しかし、この言い分は、世界で通用するだろうか。議長国である日本が共同声明に明記された内容に対して、「あれは言及しただけであって約束ではない」と言い繕うことが国際的にまかり通るとは、とうてい思えない。早晩、「2035年GHG排出19年比60%削減」目標は、日本の新しい国際公約とみなされることになるだろう。すでに海外では、そのような見方が広がり始めている。

日本のこれまでの国際公約は、「2030年度にGHGの排出を2013年度比で46%削減する」というものであった。2013年度から2019年度にかけて、わが国の年間GHG排出量は、14億800万トンから12億1000万トンへ（いずれも二酸化炭素換算値）、14%減少した。14%減少した年間温室効果ガス排出量をさらに60%削減するというのであるから、これは、一大事である。「2035年GHG排出19年比60%削減」という事実上の新しい国際公約は、「2013年度比」に換算すると、「66%削減」を意味する。期限が2030年から2035年へ5年間延びるとはいえ、削減比率は46%から66%へ20ポイントも上積みされるのである。

じつはわが国は、突然の「削減目標20ポイント上積み」を、過去にも経験したことがある。本書の第1章で述べたように、2021年4月に当時の菅義偉首相が、米国のバイデン大統領が主催した気候変動サミットにおいて、それまでの「2030年度GHG排出2013年度比26%削減」目標を、「2030年度GHG排出2013年度比46%削減」目標に転換したときが、それである。その時は、エネルギー政策をめぐって、大きな混乱が生じた。

今回、削減目標をさらに20ポイント引き上げる新たな国際公約が登場したことにより、わが国ではエネルギー政策をめぐる混乱が繰り返されることになるだろう。世界各国は、2025年秋に開かれるCOP30までに、2035年のGHG削減目標を明示しなければならないことになっている。これに合わせて日本政府も第7次エネルギー基本計画の策定することとなるが、その作業が難航することは、火を見るより明らかである。

「2035年GHG排出19年比60%削減」という新目標の衝撃波は、政府を襲うだけではない。その影響は、地方自治体や企業にも及ぶ。

日本の多くの自治体や企業は、政府のこれまでの「2030年度GHG排出2013年度比46%削減」目標に平仄を合わせる形で、46%という数値をそのまま援用するか、若干上積みするかして、各々のカーボンニュートラルをめざす中長期計画を策定してきた。

ところが、政府が「2035年GHG排出19年比60%削減」目標を新たに国際公約したことによって、状況は一変する。多くの企業や自治体は、カーボンニュートラルにかかわる中長期計画の目標値を大幅に引き上げざるをえなくなる。新しい国際公約の衝撃波の影響は、きわめて大きいのである。

## 第7次エネルギー基本計画の三つの焦点

2025年11月にブラジル・ベレンで開催される予定のCOP30（国連気候変動枠組条約第30回締約国会議）では、世界各国が、2035年に向けた温室効果ガス（GHG）の削減目標を持ち寄ることになっている。それへ向けて、日本でも、2023年から2025年夏にかけて、第7次エネルギー基本計画の策定作業が進むことになる。

第7次エネルギー基本計画では、何が焦点となるだろうか。日本政府がいくら「国際公約ではない」と言い張っても、結局、わが国は、「2035年温室効果ガス2019年比60%削減」という新しい目標に足並みをそろえざるをえなくなる。削減率が上積みされる新目標を達成するためには、わが国は、異次元のエネルギー政策転換を実現しなければならない。この政策転換こそが、第7次エネルギー基本計画の焦点となる。

異次元の政策転換の第1の柱は、徹底した省エネルギー（省エネ）・節電を行うことである。第7次エネルギー基本計画の策定にあたっては、現実問題として、2035年および2050年の電力需要見通しや一次エネルギー需要見通しを大幅に下方修正する必要が生じる。

政策転換の第2の柱は、再生エネの導入規模を抜本的に拡大することである。「2035年GHG2019年比60%削減」という新しい目標を達成するためには、二酸化炭素（$CO_2$）を排出しないゼロエミッションのエネルギー源を大幅に拡充しなければならない。それは再生エネと原子力とであるが、残念ながら、既存炉の運転期間が延長されるだけで次世代革新炉の建設が一向に進まない原子力を、頼りにするわけにはいかない。結局、再生エネの拡大しか、道はないのである。

第3の柱は、再生エネ電源がもたらす出力変動をバックアップするカーボンフリー火力の開発を急ぐことである。基本的な原材料を中国に依存する蓄電池のバックアップ能力には、限界がある。火力によるバックアップが不可欠になるが、それは、$CO_2$を排出しないカーボンフリー火力でなければならない。石炭火力をアンモニア火力に、ガス火力を水素火力に、それぞれ転換することが求められる。

このように、省エネの徹底、再生エネの拡大、カーボンフリー火力の開発が、第7次エネルギー基本計画の焦点となる。これらのうち再生エネとカーボンフリー火力については、本書ですでに論じてきたので、以下では、省エネについて、少し掘り下げることにしよう。

## 正確な中長期のエネルギー需要見通しが必要

2023年の夏は、記録的な猛暑となった。電力危機の発生が懸念されたが、結局、電力需給ひっ迫注意報や同警報が発動されることは一度もなかった。政府が需給ひっ迫を最も危惧した東京電力エリアにおける今夏の最大電力需要は、想定された5930万kWを下回る5525万kW（7月18日）にとどまった。

危機が回避された理由について政府は、2023年9月末時点で精査中としているが、2023年6月27日に資源エネルギー庁が発表した「電力需給対策について」が東京電力エリアについて特に打ち出した休止電源の稼働、ディマンドリスポンス等の調達、電源の補修点検時期の調整、無理のない範囲での節電、産業界や家庭等への周知などの施策が、功を奏したものと思われる。

ただし、ここで直視する必要があるのは、これらの施策が基本的には対症療法にとどまることである。その点は、「休止電源の稼働」や「電源の補修点検時期の調整」が、火力発電に焦点を合わせたものであることに、端的な形で示されている。日本の電力の約7割が火力発電によって供給される2022年までの状況は、2023年になっても変わっていない。2023年の夏もまた、火力発電の活用という対症療法によって電力危機が克服されるという構図が、繰り返されたと言える。

日本の電力危機対策は、いつまでも対症療法にとどまっているわけにはいかない。根治策への転換を急がなければならない。根治策を講じるにあたっては、そのための前提条件として、正確な中長期の電力需要見通しを確立する必要がある。

本書の第1章で指摘したように、2021年10月に閣議決定され、現時点で遂行中の第6次エネルギー基本計画には大きな問題点がある。同計画が打ち出した日本の総発電電力量見通しにおいて、2050年度までの数値と2030年度までの数値とのあいだに矛盾が存在するのである。

第6次エネルギー基本計画の策定を所轄した資源エネルギー庁は、2020年12月に2050年度の電源構成見通しについて再生エネ50～60％、水素・アンモニア火力10％、CCUS（二酸化炭素回収・利用、貯留）付き火力プラス原子力30～40％という参考値を提示した際、電化の進展による需要増を重視して、50年度の総発電電力量が1兆3000億kWh～1兆5000億kWhになるとし、現状より3～5割増えると見込んだ。一方、そこまでの中間点である2030年度については、総発電電力量が、2018年策定の第5次エネルギー基本計画の1兆650億kWhから9340億kWhへ1割強減少するという、矛盾に満ちた未来図を描いた。これは、再生エネ36～38％、原子力20～22％、水素・アンモニア1％、火力41％とする2030年度の電源構成見通しを打ち出すにあたって、再生エネと原子力の比率を高めることが困難であったため、帳尻合わせのために、分母の総発電電力量を削減するという「奥の手」を繰り出した結果であった。この2050年度と2030年度が矛盾する総発電電力量見通しは、そのままの形で、第6次エネルギー基本計画に盛り込まれた。

抜本的な電力危機対策を立てるにあたって大前提となるのは、正確な中長期の電力需要見通しをもつことである。早急に、第6次エネルギー基本計画が抱える矛盾を解消しなければならない。

2008年のリーマンショック以降の動向を見ると、日本の電力需要は傾向的に逓減している。今後、電化の進展はあるにしても、長期的に電力需要は横ばいないし逓減するものと思われる。猛暑であったにもかかわらず、2023年夏の東京電力エリアの最大電力需要が政府見通しを下回ったことも、この逓減傾向と整合的である。この点を考慮に入れて、中長期の電力需要見通しを再検証することが、電力危機克服に関する根治策を実施するうえでは重要である。

供給面では、火力依存から脱却し、ゼロエミッション電源の拡充を図ることが、電力危機克服の根治策の基本となる。ゼロエミッション電源の代表格は、原子力と再生可能エネルギーである。ただし、ここで想起しなければならないのは、本書の第4章で強調したように、これからは原子力があまり頼りにならないという点である。

そうであるとすれば、電力危機克服の供給面の根治策の基本となるゼロエミッション電源の拡充は、再生可能エネルギーに力点をおいて進められることになる。日本が電力危機を根本的に克服するためには、電力の効率的な使用による需要規模の抑制と、再生可能エネルギー電源の大幅導入によるしかないのである。

## 「GX実現に向けた基本方針」と省エネルギー

2023年2月に閣議決定された「GX実現に向けた基本方針」は、省エネルギーについて、高い位置づけを与えた。基本方針の内容を要約した経済産業省「GX実現に向けた基本方針の概要」（経済産業省、2023a）は、「徹底した省エネの推進」を掲げ、

○複数年の投資計画に対応できる補助金の創設、
○省エネ効果の高い断熱窓への改修など、住宅省エネ化への支援の強化、
○主要5業種（鉄鋼業・化学工業・セメント製造業・製紙業・自動車製造業）に対して、政府が非化石エネルギー転換の目安を示し、更なる省エネを推進、

などの方針を打ち出した。

これらのうち2番目の方針に関して、政府は、とくに力を入れている。そのことは、前掲の表2-5（「GX実現に向けた基本方針」が補助金の支給対象として掲げた事例と、それらの「今後10年間における官民投資の規模」の予測値を示した表）からわかるように、「住宅・建築物」の今後10年間の投資予測値を約14兆円以上と、きわめて大きく見積もったことからも、窺い知ることができる。同表で金額が明示されている18事例のなかで、「住宅・建築物」は、投資予測値で第3位を占めたのである（第1位は「自動車産業」、第2位は「再生可能エネルギー」）。

また、「徹底した省エネの推進」の3番目の方針に関しては、それが、あくまで「主要5業種」の維持、発展を前提にしたものであり、けっして産業縮小につながるものではない点が、重要である。$CO_2$排出量の低減という同じ結果をもたらすとはいえ、省エネルギーと産業縮小とでは、まったく意味が異なるのである。

## カーボンニュートラルをめざす日本の施策の三つの落とし穴

省エネルギーは、カーボンニュートラルへ向かうエネルギー・トランジションを、需要面からとらえた場合の「切り札」と言える存在である。じつは、日本のカーボンニュートラルをめざす施策には、この需要側からのアプローチが弱いという問題点がある。

前掲の表2-1の(1)(2)(3)で示したカーボンニュートラルを実現するための諸施策は、いずれも重要な意味をもつ。ただし、それらには、「三つの落とし穴」とでも言うべき問題点があることも、見過ごしてはならない。

第1は、ここで指摘した点であるが、諸施策がいずれも供給側からの視点に立つものであり、需要側からのアプローチが弱い点である。カーボンニュートラルを真に実現するためには、供給側からのアプローチだけでなく需要側からのアプローチも必要であることは、言うまでもない。

第2は、電力分野と非電力分野を截然と区分してしまったため、デンマークなどで「セクターカップリング」ないしは「パワー・トゥ・ヒート」と呼ばれる熱電併給の視点が欠落している点である。ここで言う「セクターカップリング」、「パワー・トゥ・ヒート」とは、「電気が足りないときないし電気の市場価格が高いときには再生可能エネルギーで電力を生産し、電気が余っているときには再生可能エネで発電した電力を使って温水を作り、それを貯蔵する」(橘川、2020：57頁)仕組みのことである。

世界的には経済性が高く評価されて急速に普及している再生可能エネルギーに関して、日本では、「コストが高い」という真逆の印象が広がっている。この「日本のガラパゴス化」とさえ言える不思議な現象の背景には、わが国では再生可能エネルギーがほとんど発電用にしか使われておらず、熱供給用として利用されていないという事情がある。もし、再生可能エネルギーを熱電併給の形で発電用にも熱供給用にも活用することができれば、単位当たりのコストは大幅に低減することになるだろう。

第3は、地域を担い手とする観点が弱い点である。表2-1の(1)(2)(3)の施策は、技術開発や社会的実装のために、膨大な資金を必要とする。そうだとすれば、カーボンニュートラルの担い手は大企業に限定されることになる。カーボンニュートラルを実現するうえで、消費者や中小企業の関与は、本当に僅少なのだろうか。この問いへの答えは、断じて「否」である。例えば、本書の第6章で言及した「メタネーション等により自社工場のカーボンフリー化を実現することは、部品メーカーにとって死活問題となる」点は、中小規模のメーカーにも、もちろんあてはまる。

大企業による集中型の取組みだけでなく、消費者・中小企業による分散型の取組みもまた成果をあげない限り、カーボンニュートラルが達成されることはない。ただし、消費者や中小企業の場合には、バラバラのままでは十分な力を発揮できないという問題がある。この問題を克服するためには、消費者や中小企業の取組みを束ねる「場」が不可欠だということになるが、そのような「場」として最もふさわしいのは地域であろう。カーボンニュートラルの担い手は、大企業に限定されない。地域もまた、重要な担い手となりうるのである。

以下では、需要側からのアプローチが弱い、熱電併給の視点が欠落している、地域を担い手とする観点が弱い、という「三つの落とし穴」について、順次掘り下げていく。

## 需要サイドからのアプローチの必要性

カーボンニュートラルを実現するためには、再生可能エネルギー・水素・アンモニア・合成燃料等の供給サイドからのアプローチだけでは不十分である。地域に根ざした需要サイドからのアプローチもまた、必要不可欠である。その需要サイドからのアプローチの突破口となりそうな動きが、中京地区から始まろうとしている。すでに第6章でも目を向けた、工場で排出される$CO_2$を回収し、それを集めて地域内の適切な地点で水素と合成してカーボンニュートラルな合成メタンを生成し利用する、「地域メタネーション」とでも呼ぶべき動きである。

日本の製造業事業者の多くは、部品の製造に携わっている。その部品メーカーに対しては、カーボンニュートラルをめざす流れのなかで、製造工程で$CO_2$を排出しないように求める最終製品メーカーからの圧力が強まっている。今後は、サプライチェーン全体でのカーボンニュートラルを達成するため、$CO_2$を排出する工場からの部品供給は受け付けないという最終製品メーカーが増えるだろう。したがって、地域メタネーション等により自社工場のカーボンフリー化を実現することは、部品メーカーにとって死活問題なのである。

地域メタネーションのシステムが構築されれば、$CO_2$は地域内で循環され、外部に排出されることはなくなる。そのシステムはやがて、日本の他の地域においても海外の工業地域においても広く活用されることになり、地球全体のカーボンニュートラル化に大きく貢献することだろう。

中京地区は、日本の製造業の中心地である。地域横断的な水素の需要創出、サプライチェーン構築をめざして全国に先駆けて2020年3月に発足した中部圏水素利用協議会などでは、すでに、地域メタネーションへの取組みが始まっている。今後の動向に注目したい。

カーボンニュートラルの実現のためには、より広範な消費サイドからの努力も欠かせない。消費者が賢くエネルギー消費量を抑制することで、エネルギー需給バランスを調整する仕組みであるＤＲ（デマンドリスポンス）は、その最たる事例である。

## 熱電併給による「セクターカップリング」、「パワー・トゥ・ヒート」

デンマークで普及する熱電併給による「セクターカップリング」、「パワー・トゥ・ヒート」については、別の機会に説明したことがある（橘川、２０２０：55-59頁）。ここでは、その要点を再録しておこう。

１９７０年代に石油危機が生じたとき、デンマークは中東原油への依存度が高く、エネルギー自給率はきわめて低かった。デンマーク政府は、石油から中東依存度が低い石炭への転換を急ぐ一方、新設する火力発電所はすべてＣＨＰ（Combined Heat and Power：熱電併給、日本では「コジェネレーション」と呼ばれることが多い）とする方針をとった。やがて、自国領の北海で原油・天然ガスが発見、開発され、デンマークのエネルギー自給率は改善されることになった。同時に、ＣＨＰの増設を通じて熱利用も拡大した。１９８０年代半ばには、原子力発電所を将来にわたって建設しないことを決めた。１９９０年代半ばごろから風力発電が急伸し、２０１０年代には太陽光の普及が進んだ。また、デンマークは、周辺諸国との送電連系の構築にも力を入れた。その結果、２０１８年の電源構成は、風力41％、太陽光３％、バイオマス・廃棄物18％、化石燃料23％、輸入15％となった。エネルギー消費全体で見れば、２０１７年の構成は、再生可能エネルギー33％、バイオマス以外の廃棄物２％、石油38％、天然ガス16％、石炭９％、輸入２％であった。また、このうちの再生可能エネルギーの内訳は、バイオマス55％、風力22％、太陽光６％、バイオガス４％、バイオフュエル４％、その他９％だった。

デンマークのエネルギー政策の基本は、化石燃料から再生可能エネルギーへの移行を進めること、および電気と熱を効率的に組み合わせることにある。当然、省エネを推進したうえで再生エネに依存することになるが、再生エネの拡大は消費者の負担が増えない形で実現する。しかも、エネルギーの安定供給はきちんと確保する。そんな夢のような仕組みを可能にする大きな要因の一つは、エネルギー媒体としての熱の徹底的な活用だ。

これが、デンマークのエネルギー政策のキーワードである「パワー・トゥ・ヒート」である。電気が足りないときないし電気の市場価格が高いときには再生可能エネルギーで電力を生産し、電気が余っているときには再生エネで発電した電力を使って温水を作り、それを貯蔵する。「電気（再生）を熱で調整する」仕組みだ。

デンマークの全世帯における熱源の構成比は地域熱供給（ＤＨ）が63％、天然ガスが15％、石油が11％、電気等その他が11％であり、コペンハーゲンではじつに98％の世帯にＤＨの導管がつながっている。火力発電設備のうちの66％がＣＨＰであり、その燃料は59％がバイオマス中心の再生エネ、24％が天然ガス、15％が石炭、その他が2％であるのだ（数値はいずれも２０１７年実績値）。全国各地に展開するＤＨの事業主体は自治体で、非営利事業として営まれている。多くはタンク式やプール式などの温水貯蔵施設を擁しており、そのなかには、昼夜間調整だけでなく季節間調整（夏期に貯めた温水を冬季に使う）が可能なものもある。

デンマークで起きていることを、そのまま日本に持ち込むことは、たしかに難しい。しかし、「再生可能エネルギーの主力電源化」にしろ、温水による新世代熱供給にしろ、その基本的な考え方は、日本にも適用可能である。もし、デンマークのように移行期間を設け、２０５０年までに温水供給網を全国的に構築して「パワー・トゥー・ヒート」の適用範囲を広げれば、わが国でも「セクターカップリング」が本格的に進展することであろう。

## 地域の役割とＶＰＰ（仮想発電所）

環境省の集計によれば、２０２３年9月29日時点で、46都道府県、５５８市、22特別区、３１７町、48村の合計９９１自治体が、「２０５０年二酸化炭素排出実質ゼロ」を実現し、ゼロカーボンシティになると宣言している（環境省「地方公共団体における２０５０年二酸化炭素排出実質ゼロ表明の状況」、２０２３年9月29日時点）。

ただし、大半のゼロカーボンシティでは、首長や議会などがそれをめざすことを宣言しただけで、実現するための具体的な施策が煮詰まっているわけではない。そのような閉塞状況を打破するものとしては、前項で言及した熱電併給があるが、それには温水供給網の整備が必要であり、実現には時間がかかる。そこで、それにいたるプロセスで早い時期に導入可能な仕組みとして注目されているのが、ＶＰＰ（仮想発電所）である。

資源エネルギー庁は、ＶＰＰについて、次のように説明している。

「東日本大震災に伴う電力需給のひっ迫を契機に、従来の省エネの強化だけでなく、電力の需給バランスを意識したエネルギーの管理を行うことの重要性が強く認識されました。また、震災後、太陽光発電や風力発電といった再生可能エネルギーの導入が大きく進みました。これらは天候など自然の状況に応じて発電量が左右されるため、供給量を制御することができません。

こうした動きと並行して、太陽光発電や家庭用燃料電池などのコージェネレーション、蓄電池、電気自動車、ネガワット（節電した電力）など、需要家側に導入される分散型のエネルギーリソースの普及が進みました。

このような背景から、大規模発電所（集中電源）に依存した従来型のエネルギー供給システムが見直されるとともに、需要家側のエネルギーリソースを電力システムに活用する仕組みの構築が進められています。工場や家庭などが有する分散型のエネルギーリソース一つ一つは小規模なものですが、ＩｏＴ（モノのインターネット）を活用した高度なエネルギーマネジメント技術によりこれらを束ね（アグリゲーション）、遠隔・統合制御することで、電力の需給バランス調整に活用することができます。この仕組みは、あたかも一つの発電所のように機能することから、『仮想発電所：バーチャルパワープラント（ＶＰＰ）』と呼ばれています。ＶＰＰは、負荷平準化や再生可能エネルギーの供給過剰の吸収、電力不足時の供給などの機能として電力システムで活躍することが期待されています」（経済産業省資源エネルギー庁「ＶＰＰ・ＤＲとは」）。

ＶＰＰが構築されれば、リアルな形で発電所を建設しなくとも、建設したのと同じ効果をあげることができる。そして、それは、二酸化炭素の排出量削減にも大いに貢献する。ＶＰＰは、カーボンニュートラルをめざす地域からの取組みの当面の「切り札」なのである。

ここまで述べてきたように、カーボンニュートラルを真に実現するためには、表2-1の諸施策だけでなく、①需要側からのアプローチ、②熱電併給、③担い手としての地域、という三つの点が欠かせないわけである。日本のカーボンニュートラル化の担い手は、表2-1の諸施策に関連するイノベーションに取り組む大企業とそれを支援する政府、および①〜③の課題に深くかかわる地域、ということになる。

# 終章 リアルなエネルギー・トランジションの道筋

## 2030年度と2050年の電源構成見通し

### 破綻した第6次エネルギー基本計画：「お前はもう死んでいる」

本書ではここまで、カーボンニュートラルへ向けたエネルギー・トランジションについて、さまざまな側面から検討してきた。最後にまとめに代えて、2030年度と2050年の電源構成の実像に迫ることによって、リアルなエネルギー・トランジションの道筋を展望することにしたい。

その前に、2021年10月に閣議決定され、現時点（2023年9月30日時点）で遂行中の第6次エネルギー基本計画がすでに破綻していることを、ここで改めて確認しておこう。

2022年9月に開催された第50回総合資源エネルギー調査会基本政策分科会の席上、当時は分科会の委員だった筆者（橘川）は、「第6次エネルギー基本計画（第6次エネ基）はすでにボロボロになっている。『北斗の拳』になぞらえれば、『お前は既に死んでいる』状態だ。すぐにエネ基を改訂すべきだ」、と発言した（第50回総合資源エネルギー調査会基本政策分科会「議事録」、2022年9月28日、32頁参照）。なぜ、そう考えたのか。

第1に、第6次エネ基は、原子力発電所のリプレース・新増設を想定にいれていなかった。しかし、2022年8月、岸田文雄首相は、年末までに政治決断を下すテーマの一つとして「次世代革新炉の開発・建設」を取り上げた。本書の第4章で論じたように「次世代革新炉の開発・建設」は進展していないが、リプレース・新増設を想定しないという第6次エネ基の前提が崩れたことは間違いなかろう。

第2に、第6次エネ基が示した2030年度の電源構成見通しの実現性に対して、当初から指摘されていた疑念がいっそう強まったことである。現に、同見通しでゼロエミッション電源比率を59%に高めたにもかかわらず、法的義務をともなうエネルギー供給高度化法の実際の運用では、その比率は従来どおりの44%に据え置かれたままである。2030年には、今のペースでは再生可能エネルギー比率は36〜38%に届きそうにないし、原子力比率20〜22%を達成するのに必要な27基の原子炉の運転も実現困難で、せいぜい20基前後にとどまるだろう。

第3に、LNG（液化天然ガス）の消費見通しが過小だった。第6次エネ基によれば、日本の30年における天然ガス消費量は年間5500万トン未満にとどまる。これは、日本の20年のLNG輸入量が7450万トンだった事実を想起すれば、2000万トン近い大幅な減少が生じることを意味する。しかも現時点においては、2022年2月のロシアによるウクライナ侵攻を契機に、ヨーロッパ諸国も加わってLNGの国際的な争奪戦が激化の一途をたどっており、LNG価格も急騰した。このような状況下で過小な消費見通しの第6次エネ基を維持していては、LNG調達に関して日本勢の「買い負け」が生じることは避けられないし、実際に、それはすでに始まっている。

第4に、そもそも2030年の電源構成見通しを21年の時点で提示することは、あまり意味がなかった。電源構成見通しをわざわざ策定することの最大の目的は、関連事業者に対して、投資計画立案に資する日安を発信することにある。2021年に第6次エネ基のなかで電源構成見通しを打ち出したとしても、関連事業者がそれを受けて電源投資計画を立案・実行するには、時間的制約が大きすぎる。わずか9年の期間しかないので、2030年には間に合わないのである。したがって、第6次エネ基は、もともと2030年ではなく2040年をターゲットにして、電源構成見通しを打ち出すべきであった。

以上の点から、2022年9月の時点で、第6次エネ基がすでに「死に体」であったことは、明らかである。

## 2030年の電源構成はどうなるか

第6次エネルギー基本計画に盛り込まれた2030年度の電源構成見通しが実現する可能性は、きわめて低い。実際の電源構成は、表終-1の最下段のようになるだろう。

本書の第1章で説明した諸事情をふまえれば、2030年度の電源構成に占める再生可能エネルギーの比率は30%程度、原子力の比率は最大限でも15%程度にとどまるだろう。一方、非効率石炭火力を廃止し、高効率石炭火力に絞り込んだ場合、2030年度の電源構成に占める石炭火力の比率は、約20%になると見込まれる。そして、水素・アンモニア火力と石油火力の比率が第6次エネルギー基本計画どおりにそれぞれ1%と2%であるとすれば、LNG火力の比率は約32%となる。

表終-1　2030年度の電源構成見通し

（単位：%）

| | 再生可能エネルギー | 水素・アンモニア | 原子力 | LNG | 石炭 | 石油等 |
|---|---|---|---|---|---|---|
| 2019年度の電源構成実績（第6次エネルギー基本計画の前提） | 18 | 0 | 6 | 37 | 32 | 7 |
| 2030年度の電源構成見通し（第6次エネルギー基本計画） | 36~38 | 1 | 20~22 | 20 | 19 | 2 |
| 2030年度の電源構成見通し（筆者の見解） | 30 | 1 | 15 | 32 | 20 | 2 |

（出所）資源エネルギー庁「2030年度におけるエネルギー需給の見通し（関連資料）」（2021年10月）にもとづき、筆者作成。

## ２０５０年の電源構成はどうなるか

カーボンニュートラルの目標年次である２０５０年には、日本の電源構成はどうなっているだろうか。

第6次エネルギー基本計画は、２０５０年の電源構成見通しについて、複数シナリオの必要性に言及しながらも、ひとまずの「参考値」として、再生可能エネルギー50〜60%、水素・アンモニア火力10%、ＣＣＵＳ（二酸化炭素回収・利用、貯留）付き火力及び原子力30〜40%という数字を示した（閣議決定、２０２１：23頁）。この２０５０年の電源構成見通しについて注目したいのは、政府が原子力の比率を、ＣＣＵＳ付き火力の比率と一括して30〜40%とした点である。この一括視は、明らかに奇妙である。本来、「再生可能エネルギー」／「水素・アンモニア・ＣＣＵＳによるカーボンフリー火力」／「原子力」と分類すべきだったにもかかわらず、あえて原子力を単独で取り出すことを避けて、「再生可能エネルギー」／「水素・アンモニア火力」／「それ以外のカーボンフリー火力と原子力」という3分割を採用したわけである。なぜだろうか。

もし、「原子力」を単独で取り出していたとすれば、現時点で原子力発電のリプレースの見通しが立っていない以上、50年の電源構成に占める原子力の比率が10%程度にとどまる事実を明らかにしなければならなかったことだろう[18]（原発のリプレースには時間がかかるから、たとえ今後リプレースの方針を打ち出したとしても、２０５０年に間に合う確率は低い）。政府は、原子力施設立地自治体などに配慮して、そのような事実が表面化することを避けたかった。これが、水素・アンモニア以外のカーボンフリー火力（ＣＣＵＳ付き火力）と原子力とを一括するという奇策に出た理由だろう。

この点を修正して原子力の比率を単独で示し、２０５０年の日本における電源構成見通しを改めて明記すると、再生可能エネルギー50〜60%、カーボンフリー火力30〜40%（内訳は水素・アンモニア火力10%、CCUS付き火力20〜30%）、原子力10%となる。この修正された数値にはリアリティがある。さらに変化があるとすれば、使用済み核燃料の処理の問題が解決しない場合には原子力の比率がさらに下がり、その分、再生可能エネルギーの比率がいっそう上昇することであろう。

18　前掲の表2-3でRITE（地球環境産業技術研究機構）は、2050年の電源構成見通しに関して政府が示した「参考値」にもとづくシナリオ①において、原子力の比率を10%、CCUS付き火力の比率を23%としている。RITEは政府の承諾を得てこのような比率設定を行ったのであり、ここに政府が50年の原子力比率を10%と見込んでいることが、図らずも露呈してしまっている。

# おわりに：カーボンニュートラル実現への道



カーボンニュートラルを実現するまでに残された時間は、限られている。目標年である2050年は、あと25年余りのちにやって来る。

限られた時間内でカーボンニュートラルにつながるエネルギー・トランジションを、どのように遂行するか。これが、本書で追求してきたテーマであるが、そこで強調した主要な論点を再掲すれば、以下のようになる。

・カーボンニュートラルを真に実現するためには、①需要側からのアプローチ、②熱電併給、③担い手としての地域、という三つの視点が欠かせない。日本のカーボンニュートラル化の担い手は、関連するイノベーションに取り組む大企業とそれを支援する政府、および①～③の課題に深くかかわる地域、ということになる。

・2021年に閣議決定された第6次エネルギー基本計画が打ち出した日本の総発電電力量見通しには、2050年度までの数値（3～5割の増加）と2030年度までの数値（1割強の減少）とが矛盾するという問題点が存在する。カーボンニュートラルにつながるエネルギー・トランジションを遂行するためには、そのための前提条件として、正確な中長期の電力需要見通しを確立する必要がある。

・求められるエネルギー・トランジションの柱となるのは、再生可能エネルギーの加速度的な普及である。そのためには、事業主体への住民・当事者の参加がきわめて重要であり、それが進めば、再生エネ事業発展の障害となっている地元とのトラブルの問題は、解決に向かって前進する。さらに、「セクターカップリング」の視点に立って、再生可能エネルギーを電源としても熱源としても活用することができれば、全体としてのコストを低減させることもできる。

・原子力発電については、「副次電源」であるとの認識に立って、古い炉を新しい炉に建て替える「リプレース」を進めながら、原発依存度を徐々に低下させるべきである。また、使用済み核燃料の処理問題については、(1)「もんじゅ」に代わる有害度低減技術開発の具体的な方針を確立する、(2)原発敷地内に空冷式冷却装置を設置し「オンサイト中間貯蔵」を行う、(3)「リアルでポジティブな原発のたたみ方」という選択肢も準備する、という3点が重要である。

・カーボンニュートラルを実現するためには、再生可能エネルギー発電とそれをバックアップするカーボンフリー火力とががっちりタッグを組むことが不可欠であり、その意味で、「カーボンフリー火力なくしてカーボンニュートラルなし」と言いうる。カーボンフリー火力は、石炭火力のアンモニア火力への転換、およびガス火力の水素火力への転換という、二つの道筋を通じて出現する。このうち石炭火力に関して日本政府は、2040年をめどに石炭火力をたたむと、国際社会へ向けて宣言すべきである。

・水素の利活用を進めるうえでは、コスト低減とともに、大口の需要先の確保が主要な課題となる。燃料アンモニアの社会的実装のためには、「グリーンアンモニア」と「ブルーアンモニア」の大規模調達、コストのLNG（液化天然ガス）並みへの引下げ、ハーバーボッシュ法に代わる新しいアンモニア合成技術やNOXの排出を抑制する技術の確立などが、求められる。合成メタン（e-methane）、グリーンLPガス、合成液体燃料（e-fuel）などの合成燃料の開発にとっては、カーボンニュートラル燃料としての国際認証の獲得、二酸化炭素削減実績の帰属問題の解決、コストの低減が、重要である。

これらの諸課題を達成することは、けっして容易ではない。しかし、それらは、われわれにとって、もはや「なすべき事柄」の域を超えて、「しなければならない事柄」となっているのである。

## 参照文献


稲葉和也・平野創・橘川武郎（2018）『コンビナート新時代：IoT・水素・地域間連携』化学工業日報社。

閣議決定（2014）「エネルギー基本計画」、2014年4月（第4次エネルギー基本計画）。

閣議決定（2018）「エネルギー基本計画」、2018年7月（第5次エネルギー基本計画）。

閣議決定（2021）「エネルギー基本計画」、2021年10月（第6次エネルギー基本計画）。

閣議決定（2023）「GX実現に向けた基本方針～今後10年を見据えたロードマップ～」、2023年2月。

川崎市（2022）「川崎カーボンニュートラルコンビナート構想」、2022年3月。

橘川武郎（2015）「ひいきの引き倒し」『電気新聞』2015年8月27日付。

橘川武郎（2020）『エネルギー・シフト：再生可能エネルギー主力電源化への道』白桃書房、2020年。

橘川武郎（2022a）「碧南、アンモニア混焼へ」『電気新聞』2022年2月10日付、12面。

橘川武郎（2022b）「川崎・扇島のガス火力発電　次世代燃料のフロンティア」『ガスエネルギー新聞』2022年10月3日付、7面。

クリステンセン、クレイトン・M著、伊豆原弓訳（2000）『イノベーションのジレンマ：技術革新が巨大企業を滅ぼすとき』翔泳社。

経済産業省（2015）「長期エネルギー需給見通し」、2015年7月。

経済産業省（2020）「2050年カーボンニュートラルに伴うグリーン成長戦略」、2020年12月25日。

経済産業省（2021a）「『トランジションファイナンス』に関する鉄鋼分野における技術ロードマップ」、2021年10月。

経済産業省（2021b）「『トランジションファイナンス』に関する化学分野における技術ロードマップ」、2021年12月。

経済産業省（2022a）「『トランジションファイナンス』に関するガス分野における技術ロードマップ」、2022年2月。

経済産業省（2022b）「『トランジションファイナンス』に関する石油分野におけるロードマップ」、2022年2月。

経済産業省（2022c）「『トランジションファイナンス』に関するセメント分野における技術ロードマップ」、2022年3月。

経済産業省（2022d）「『トランジションファイナンス』に関する紙・パルプ分野における技術ロードマップ」、2022年3月。

経済産業省（２０２３ａ）「ＧＸ実現に向けた基本方針の概要」、２０２３年２月。

経済産業省（２０２３ｂ）「ＧＸ実現に向けた基本方針　参考資料」、２０２３年２月。

経済産業省資源エネルギー庁（２０２２）「『持続可能な航空燃料（ＳＡＦ）の導入促進に向けた官民協議会』について」、２０２２年４月。

経済産業省資源エネルギー庁電力基盤整備課（２０２２）「電力分野のトランジション・ロードマップ」、２０２２年２月。

経済産業省資源エネルギー庁・国土交通省港湾局（２０２２）「『日本版セントラル方式』における調査対象区域の選定の考え方」、２０２２年９月30日。

産業技術環境局・資源エネルギー庁（２０２２）「クリーンエネルギー戦略　中間整理」、２０２２年５月13日。

資源エネルギー庁（２０２０ａ）「非効率石炭のフェードアウト及び再エネの主力電源化に向けた送電線利用ルールの見直しの検討について」、２０２０年７月13日。

資源エネルギー庁（２０２０ｂ）「２０５０年カーボンニュートラルの実現に向けた検討」、２０２０年11月17日。

資源エネルギー庁（２０２０ｃ）「２０５０年カーボンニュートラルの実現に向けた検討」、２０２０年12月21日。

資源エネルギー庁（２０２１ａ）「２０３０年に向けたエネルギー政策の在り方」、２０２１年４月13日。

資源エネルギー庁（２０２１ｂ）「２０３０年に向けたエネルギー政策の在り方」、２０２１年７月13日。

資源エネルギー庁（２０２１ｃ）「エネルギー基本計画（素案）の概要」、２０２１年７月21日。

資源エネルギー庁（２０２１ｄ）「２０３０年におけるエネルギー需給の見通し参考資料」、２０２１年８月４日。

資源エネルギー庁（２０２１ｅ）「２０３０年度におけるエネルギー需給の見通し（関連資料）」、２０２１年10月。

資源エネルギー庁（２０２２ａ）「エネルギー基本計画策定後のエネルギー政策の検討状況について～クリーンエネルギー戦略中間整理を中心に～」、２０２２年６月14日。

資源エネルギー庁（２０２２ｂ）「エネルギーの安定供給の再構築」、２０２２年９月28日。

資源エネルギー庁（２０２２ｃ）「エネルギーの安定供給の確保」、２０２２年12月16日。

資源エネルギー庁（２０２３ａ）「合成メタン（e-methane）について」、２０２３年３月13日。

資源エネルギー庁（２０２３ｂ）「今後の再生可能エネルギー政策について」、２０２３年６月21日。

資源エネルギー庁（２０２３c）「電力需給対策について」、２０２３年6月27日。

資源エネルギー庁（２０２３d）「今後のエネルギー政策について」、２０２３年6月28日。

資源エネルギー庁資源・燃料部（２０２２a）「ウクライナ侵略等を踏まえた資源・燃料政策の今後の方向性」、２０２２年4月。

資源エネルギー庁資源・燃料部（２０２２b）「資源・燃料政策の現状と今後の方向性」、２０２２年7月。

総合エネルギー調査会電力・ガス事業分科会電力・ガス基本政策小委員会ガス事業制度ワーキンググループ（２０２３）「都市ガスのカーボンニュートラル化について　中間整理」、２０２３年6月。

地球環境産業技術研究機構（ＲＩＴＥ）（２０２１）「２０５０年カーボンニュートラルのシナリオ分析（中間報告）」、２０２１年5月13日。

電気事業連合会（２０２１）「プルトニウム利用計画について」（２０２１年2月26日）。

電気事業連合会統計委員会編（２０１０）『電気事業便覧　平成22年版』日本電気協会。

戸田直樹・矢田部隆志・塩沢文朗（２０２１）『カーボンニュートラル実行戦略：電化と水素、アンモニア』エネルギーフォーラム。

内閣官房・経済産業省・内閣府・金融庁・総務省・外務省・文部科学省・農林水産省・国土交通省・環境省（２０２１）「２０５０年カーボンニュートラルに伴うグリーン成長戦略」、２０２１年6月18日。

日本ＬＰガス協会（２０２１）「グリーンＬＰガスの生産技術開発に向けた研究会　報告書」、２０２１年5月12日。

発電コスト検証ワーキンググループ（２０２１）「発電コスト検証に関する取りまとめ（案）」、２０２１年8月3日。

## 参照ウェブページ

ＩＨＩ・出光興産「出光・徳山事業所の既設設備を活用したアンモニアサプライチェーン構築の共同検討を開始」、２０２１年6月25日。
https://www.ihi.co.jp/ihi/all_news/2021/resources_energy_environment/1197470_3345.html
アイシン・デンソー・東邦ガス「中部圏におけるメタネーション地域連携について」、２０２３年6月6日。
https://www.meti.go.jp/shingikai/energy_environment/methanation_suishin/kokunai_tf/pdf/004_03_01.pdf
出光興産「HIF Global社との合成燃料（e-fuel）分野における戦略的パートナーシップに関するＭＯＵ締結について」、２０２３

年４月５日。
https://www.idemitsu.com/jp/news/2023/230405.html
環境省「地方公共団体における２０５０年二酸化炭素排出実質ゼロ表明の状況」、２０２３年９月29日時点。
https://www.env.go.jp/policy/zerocarbon.html
橘川武郎「より深刻な電力危機は、この夏よりも『冬』である…日本が『まともに電気が使えない国』に堕ちた根本原因」PRESIDENT Online、２０２２年７月17日発信。
https://president.jp/articles/-/59577
橘川武郎「７年ぶりの節電要請をだれも知らない…なぜかまるで危機感が共有されていない日本の電力の絶望的状況　『ポーズばかりで何もしていない』岸田首相の罪深さ」PRESIDENT Online、２０２２年12月31日発信。
https://president.jp/articles/-/64792
経済産業省資源エネルギー庁「非効率石炭火力をどうする?　フェードアウトへ向けた取り組み」、２０２０年11月６日。
https://www.enecho.meti.go.jp/about/special/johoteikyo/hikouritu_sekitankaryoku.html
経済産業省資源エネルギー庁「ＶＰＰ・ＤＲとは」（２０２３年９月30日検索）。
https://www.enecho.meti.go.jp/category/saving_and_new/advanced_systems/vpp_dr/about.html
経済産業省『METI Journal ONLINE』、２０２３、「知っておきたい経済の基礎知識～ＧＸって何?」、２０２３ 年１月17日。
https://journal.meti.go.jp/p/25136/
「Ｇ７気候・エネルギー・環境大臣会合コミュニケ」、２０２３年４月16日。
https://www.meti.go.jp/information/g7hirosima/energy/press2023042023041700420230417004-2.pdf
ＪＥＲＡ（２０２０）「２０５０年におけるゼロエミッションへの挑戦について」、２０２０年10月13日。
https://www.jera.co.jp/news/information/20201013_539
ＪＥＲＡ（２０２２）「２０３５年に向けた新たなビジョンと環境目標」、２０２２年５月12日。
https://www.jera.co.jp/system/files/private/添付資料:2035年に向けた新たなビジョンと環境目標について.pdf
自然エネルギー財団「統計　国際エネルギー」、２０２３年３月。

https://www.renewable-ei.org/statics/international/
第50回総合資源エネルギー調査会基本政策分科会「議事録」、２０２２年９月28日。
https://www.enecho.meti.go.jp/committee/council/basic_policy_subcommittee/2022/050/050_008.pdf
中国電力「水島発電所2号機でのアンモニア混焼試験の実施結果および特許出願について」、２０１７年９月８日付プレスリリース。
https://www.energia.co.jp/press/2017/10697.html
日本ガス協会「カーボンニュートラルチャレンジ２０５０ アクションプラン」。２０２１年６月10日発信。
https://www.gas.or.jp/newsrelease/0610.pdf
日本原子力文化財団「原子力・エネルギー図面集」【７-２-02】原子燃料サイクル（ＦＢＲを含む）
https://www.ene100.jp/zumen/7-2-2
三菱重工業「革新軽水炉「ＳＲＺ-１２００」について」。２０２２年９月29日発信。
https://www.mhi.com/jp/news/220929.html
白桃書房「エネルギー・シフト」。
https://www.hakutou.co.jp/book/b528854.html
読売新聞オンライン「原発再稼働『賛成』58％・『反対』39％、初めて賛否が逆転…読売・早大世論調査」。２０２２年８月24日発信。
https://www.yomiuri.co.jp/election/yoron-chosa/20220824-OYT1T50195/

# 索引

## あ行



## か行

## さ行



## た行

## な行



## は行

## ま行



## や行



## ら行



## わ行



## 数字



## A～Z

■著者略歴

橘川　武郎（きっかわ・たけお）

現在、国際大学学長、東京大学名誉教授、一橋大学名誉教授。

1951年和歌山県生まれ。1983年、東京大学大学院経済学研究科博士課程単位取得退学。経済学博士。青山学院大学経営学部助教授、東京大学社会科学研究所教授、一橋大学大学院商学研究科教授、東京理科大学大学院イノベーション研究科教授, 国際大学国際経営学研究科教授を経て、現在に至る。
その他、経営史学会会長、総合資源エネルギー調査会委員等を歴任。

専門分野：日本経営史、エネルギー産業論。
主要著書：『日本電力業発展のダイナミズム』（名古屋大学出版会、2004年）
『松永安左エ門 ―生きているうち鬼といわれても―』（ミネルヴァ書房、2004年）
『電力改革 ―エネルギー政策の歴史的大転換―』（講談社、2012年）
『日本のエネルギー問題』（NTT出版、2013年）
『イノベーションの歴史』（有斐閣、2019年）
『エネルギー・シフト ―再生可能エネルギー主力電源化への道』（白桃書房、2020年）
『災後日本の電力業 ―歴史的転換点をこえて―』（名古屋大学出版会、2021年）

著者による、日本と世界のエネルギーを取りまく状況のアップデート（補記）などはこちらから。https://note.com/hakutoushobo/m/m5012222e5690

■ エネルギー・トランジション
2050年カーボンニュートラル実現への道

■ 発行日――2024年 3月31日　初版発行　〈検印省略〉

■ 著　者――橘川武郎《きっかわたけお》

■ 発行者――大矢栄一郎

■ 発行所――株式会社 白桃書房《はくとうしょぼう》
〒101-0021　東京都千代田区外神田5-1-15
☎03-3836-4781　FAX 03-3836-9370　振替 00100-4-20192
https://www.hakutou.co.jp/

■ 印刷・製本――三和印刷株式会社

　ISBN 978-4-561-71233-6　C0060